ullstein

Das Buch

»Ich habe über unser Gespräch neulich nachgedacht«, sagt Wolfgang, »und ich denke, ich weiß, was du tun solltest.«
»Was denn?«, fragt Martha interessiert.
»Werde Lehrerin!«
»Warum sollte ich das tun?«
»Um Zeit zu gewinnen. Du bist auf der Suche nach einer anderen Welt. Einer Welt, die mit Tönen zu tun hat. Mit Bewegung, Formen. Du kannst Musik sehen – ein besonderes Talent. Ich habe von einem Mann gelesen, der eine neuartige Schule gründen will. Schau!« Wolfgang zieht einen zerknitterten Zeitungsartikel aus der Tasche.
»Er spricht von einem ›neuen Glauben‹, der alle Künste vereint.«
»Wo ist dieser Mann?«
»Im Krieg«, antwortet Wolfgang, »wie so viele Männer. Bete, dass er ihn überlebt!«

Der Autor

Tom Saller, geboren 1967, hat Medizin studiert und arbeitet als Psychotherapeut in der Nähe von Köln. Falls er nicht gerade schreibt, spielt er Saxophon in einer Jazzcombo. *Wenn Martha tanzt* ist sein Debütroman.

Von Tom Saller ist in unserem Hause bereits erschienen:
Ein neues Blau (HC)

Tom Saller

Wenn Martha tanzt

Roman

Ullstein

Besuchen Sie uns im Internet:
www.ullstein.de

Ungekürzte Ausgabe im Ullstein Taschenbuch
1. Auflage März 2019
10. Auflage 2020

Umschlaggestaltung: zero-media.net, München,
nach einer Vorlage von Büro Jorge Schmidt, München
Titelabbildung: © bpk
(Mütter und Nachwuchs im Sonnenschein)
Satz: Pinkuin Satz und Datentechnik, Berlin
Gesetzt aus der Granjon
Druck und Bindearbeiten: CPI books GmbH, Leck
ISBN 978-3-548-06052-1

Für meine Eltern,
meine Schwester
und
Hedi

Die Vergangenheit ist nicht tot;
sie ist nicht einmal vergangen.

William Faulkner

New York

(2001)

Es ist merkwürdig. In wenigen Minuten werde ich Millionär sein. Vielfacher Millionär. Nicht dass jemand danach gefragt hätte – seit meiner Ankunft bei Sotheby's scheine ich unsichtbar zu sein.

Das Mindestgebot liegt bei dreißig Millionen Dollar ... Ein Betrag, der mir so fern ist wie der Glaube an eine feste Freundin – also Lichtjahre entfernt. Damit passt er ziemlich gut zu dem traumähnlichen Zustand, in dem ich mich seit heute Morgen, seit meiner Landung in New York, befinde.

Als der Taxifahrer den Weg vom Flughafen über die Brooklyn Bridge genommen hat, ist es wie in der Anfangsszene eines Hollywoodfilms gewesen. Je näher wir der gewaltigen Skyline Manhattans kamen, umso höher schossen Gebäude und Häuserfassaden in den Himmel. Gewannen an Wucht und Dominanz, bis jedes Fleckchen Blau verschwunden war und ich mir den Hals hätte verrenken müssen, um irgendetwas anderes zu sehen als Glas und Beton.

Ich blickte in Straßenschluchten mit gelben Taxis und pulsierenden Massen von Menschen mit Kaffeebechern in den Händen. Niemand schien bloß nur zu gehen; alle wirkten enorm zielstrebig, befanden sich auf dem Weg irgendwo*hin*.

Plötzlich überfiel mich der Gedanke umzukehren. Mich in den nächsten Flieger zurück nach Deutschland zu setzen und die ganze Geschichte einfach zu vergessen.

Eigentlich hätte mein Vater an meiner Stelle hier sein müssen, aber er hatte abgewunken: »Du bist dichter dran, also flieg du auch rüber!«

Ein Vertrauensbeweis? Oder doch eher Ausdruck

einer gutversteckten Ängstlichkeit der großen weiten Welt gegenüber?

Aber unsicher fühle ich mich auch. Schließlich bin ich zum ersten Mal raus aus Europa. Vielleicht ist New York schlicht zu groß für mich. Und die gesamte Angelegenheit sowieso.

Es wird sich zeigen.

So oder so.

Ich stamme aus ganz normalen Verhältnissen, was immer das heißen mag. Mein Vater ist gelernter Bankkaufmann, meine Mutter Lehrerin.

Zugegeben, möglicherweise wäre ein bisschen mehr *Glanz* in Sachen Herkunft nicht schlecht, doch es ist, wie es ist. Meine ältere Schwester hat es nach dem Medizinstudium in die Schweiz verschlagen. Inzwischen arbeitet sie als Assistenzärztin an einem Kantonsspital. Ich behaupte nicht, in ihrem Schatten gestanden zu haben, dennoch ist das Leben neben einem Leuchtturm nicht immer leicht.

Das Haus meiner Eltern ist ein typischer Siebziger-Jahre-Bungalow. Weiß, würfelförmig, in den Hang gebaut. Es steht in einem der besseren Viertel der Stadt. Ursprünglich haben wir zu fünft darin gewohnt. Meine Eltern, meine Schwester, Oma und ich. Bei meiner Großmutter handelt es sich um die Mutter meines Vaters. Sie ist eine lebhafte Frau gewesen, hat gerne geredet, aber immer im letzten Moment die Hand vor den Mund gehalten, als wäre es ihr nicht erlaubt, über bestimmte Dinge zu sprechen. Über ihre Flucht aus Pommern beispielsweise und die Ereignisse damals auf der *Wilhelm Gustloff*.

Einen Großvater hat es nicht gegeben; jedenfalls nicht im klassischen Sinn. Die Familienlegende sagt, Oma sei im Lager in Dänemark schwanger geworden. Kurz darauf, und noch vor der Geburt meines Vaters, sei mein Großvater an Tuberkulose erkrankt und verstorben. Kriegsschicksal. Oder besser – Nachkriegsschicksal.

Beides nicht gut.

Als alleinerziehende Mutter nach dem Zweiten Weltkrieg, als Fremde im eigenen Land, hat Oma es nicht leicht gehabt. Als protestantischer Flüchtling in einer katholischen Kleinstadt im Rheinland schon gar nicht. Doch schon vorher, in Türnow, hatte sie lernen müssen, dem Neuen mit Vorsicht zu begegnen.

Mehr als schmerzhaft.

Als meine Schwester und ich klein waren, verbrachten wir die Vormittage bei meiner Großmutter, während unsere Eltern arbeiteten. Wenn meine Mutter mittags aus der Schule kam, wurden die Etagen gewechselt. Oma hatte unten im Haus eine kleine Wohnung, die immer irgendwie anders roch als unsere eigene darüber. Es mag am Essen gelegen haben, das sie für sich und uns kochte. Komische Gerichte mit komisch klingenden Namen: Arme Ritter, Kirschen mit Klimpern, Wruken oder Plinsen. Oben gab es stattdessen Pizza, Hähnchenschnitzel oder Mirácoli. Das sind meine Erinnerungen an die frühen Achtziger. Zumindest kulinarisch.

Oma hat häufig mit uns Karten gespielt – Rommé, Canasta und Mau-Mau. Am allerliebsten hat sie Skat gespielt. Sie meinte, das liege in der Familie. Im Alter von sechs oder sieben Jahren konnten meine Schwester und ich problemlos einen *Grand Hand* erkennen. Spielen und siegen waren eins. Eine Art Inselbegabung, vermute ich.

Meine Großmutter und meine Schwester haben oft über die Vergangenheit geredet; Omas Kindheit und die rätselhafte Frage ihrer Herkunft – Martha, meine Urgroßmutter, hat ihr nie erzählt, wer ihr Vater gewesen ist.

Währenddessen habe ich mich in meine Comics versenkt. Die alten Geschichten interessierten mich nicht. Etwas, das ich inzwischen bereue.

Sehr sogar. Denn Oma ist tot.

Sie ist im vergangenen Jahr gestorben, und damit fing alles an. Ihretwegen bin ich hier in New York, in einer mir völlig fremden Welt.

In ihrem Auftrag sozusagen. Und dem Marthas. Der Frau, die eigentlich meine Urgroßmutter ist, die ich aber vor allem als junges Mädchen vor mir sehe. Wegen ihres Tagebuchs.

Und die eines Tages einfach verschwand.

Hier, in den erstaunlich nüchternen Räumlichkeiten von Sotheby's, geht's mir nicht anders als heute Morgen in den Straßen Manhattans. Alle sind beschäftigt, keiner scheint zum Spaß da zu sein. Nie zuvor habe ich mich so fehl am Platz gefühlt. Nach Geld riechende Männer mit festem Händedruck und kräftigen Unterkiefern studieren die Displays ihrer Blackberrys und Palms. An ihrer Seite mannequinhafte Wesen mit langen, schlanken Beinen – beinah schon unwirklich schön. Wieder könnte man meinen, es handele sich um eine Szene aus einem amerikanischen Film. Nur die Hauptrolle wäre eine glatte Fehlbesetzung: Das bin nämlich ich.

Bei genauerem Hinhören erkenne ich außer Englisch weitere Sprachen – Spanisch, Französisch, Italienisch. Ein paar deutsche Stimmen. Und irgendetwas Asiatisches; ich schätze Japanisch.

Meine eigenen Sprachkenntnisse halten sich in Grenzen, was ich vor allem meiner Faulheit auf dem Gymnasium zu verdanken habe. »*Have a whale of a time*«, begrüßte mich unser Anwalt in der Ankunftshalle des JFK, bevor er mich ins Taxi setzte; er selber hatte noch einen anderen Termin. *Have a whale of a time.* Vorsicht, es bedeutet nicht das, was ich gedacht habe.

Die Tatsache, dass ich erstmals in meinem Leben in den Staaten bin, hat mit den Angehörigen zu tun oder, besser gesagt, mit den Erben. Sie haben einen Prozess angestrengt. Urheberrechte, kulturelles Erbe, Rückführung – ich habe keine Ahnung. Meinetwegen hätten sie das nicht machen müssen. Ich hätte ihnen ihren Anteil auch freiwillig gegeben. Er steht ihnen zu. Aber anscheinend hat ein cleverer Anwalt ihnen geraten, das Ganze nach amerikanischem Recht auf US-Boden verhandeln zu lassen, um eine möglichst hohe Summe herauszuschlagen.

Ich werde vom Erlös der Auktion ein Drittel abgeben. So lautet der Urteilsspruch. Aber selbst für den Fall, es würde in wenigen Minuten nur das Mindestgebot aufgerufen – es bliebe immer noch ein wahnwitzig hoher Betrag übrig.

Doch das Geld ist mir egal. Wirklich. Es gehört sowieso nur indirekt meiner Schwester und mir. Vater ist der rechtmäßige Besitzer. Ich habe Marthas Tagebuch im Nachlass seiner Mutter gefunden, meiner Großmutter. Folglich ist er der Erbe.

Tatsächlich fällt es mir nicht schwer, mich von einem Vermögen zu trennen, das ich ohnehin nie besessen habe und dessen Dimensionen mir unvorstellbar sind.

Wesentlich schwieriger finde ich es, mich von der Geschichte zu trennen. Von Martha, Otto und den anderen. Bislang haben sie mir gehört. Mir ganz allein.

Ihre Erlebnisse, Gedanken und Gefühle.

Ihre kleinen und großen Geheimnisse.

Monatelang habe ich Marthas Notizen studiert. Immer und immer wieder. Habe Namen, Orte und Daten recherchiert; im Internet Karten aufgerufen, bis mir die Augen brannten. Ich habe Geschichtsbücher und Kunstbände gewälzt, nach regionalen Besonderheiten geforscht. Versucht, ein Gefühl für *ihre Welt* zu bekommen.

Dann habe ich begonnen zu schreiben. Obsessiv.

Es ist nicht leicht gewesen, einen Anfang zu finden, denn es gibt keinen. Marthas Aufzeichnungen beginnen mittendrin. Also habe ich ihn erfunden.

Den Anfang.

Ich musste es tun. Hatte keine Wahl.

Marthas Erlebnisse haben mich gepackt, ergriffen, mich an den Schreibtisch vor ein leeres Blatt Papier gezwungen und mir einen Stift in die Hand gedrückt. Wegen ihr habe ich mein Germanistikstudium unterbrochen und ihre Geschichte zu meiner gemacht.

Weil sie es ist.

Doch darf ich das Leben meiner Urgroßmutter nehmen und mir dessen Beginn einfach *erdenken*? Den Auftakt, in Türnow?

Natürlich möchte ich Marthas Erfahrungen und die

Menschen, die damit zu tun haben, der Vergangenheit entreißen. Mit einem kräftigen Ruck den Mantel des Vergessens wegziehen. Nicht zuletzt wegen des Dramas, das sich auf der Flucht zugetragen hat.

Doch möglicherweise spielen auch egoistischere Motive eine Rolle, und ich will mir vor allem Wurzeln verschaffen. Ausgerechnet ich, dem Herkunft, Familiengeschichte und Vergangenheit bislang vollkommen egal gewesen sind. Aber mit Martha ist plötzlich der fehlende Glanz in mein Leben getreten und damit die Chance – ich weiß nicht, wie ich es nennen soll –, die Dinge irgendwie anders anzugehen? Ein wenig vom vorgezeichneten Weg abzuweichen?

Die energische Stimme eines Angestellten von Sotheby's unterbricht mich in meinen Tagträumen. Wir werden aufgefordert, uns in den Auktionsraum zu begeben und Platz zu nehmen.

Als ich durch die Tür trete, fällt mein Blick auf das Pult des Auktionators; etwas über Hüfthöhe hoch. Ein Glas Wasser. Ein zierlicher brauner Hammer. Daneben, auf einem Beistelltisch, Marthas Tagebuch. Millionenschwer. Es hat die Zeit überdauert. Ein einzigartiges Zeugnis – einschließlich seines kühnen *Beiwerks*.

Das Heft ist in der Mitte aufgeschlagen und auf einer schräg stehenden Unterlage aufgebahrt. Ein Scheinwerfer taucht es in helles Licht. Jeder kann es sehen.

Es wirft einen langen Schatten.

Türnow

(1900–1919)

Hundert Jahre sind eine lange Zeit. Innerhalb eines jeden Jahrhunderts genau gleich lang. Manch einer behauptet, das vergangene Jahrhundert, das zwanzigste, sei länger gewesen. Andernfalls hätte nicht so viel geschehen *können.*
Man schreibt das Jahr 1900. Thomas Mann sitzt an seinem ersten Roman. Im Sommer hält Kaiser Wilhelm II. in Bremerhaven seine berüchtigte »Hunnenrede«: »Pardon wird nicht gegeben!« Felix Hoffmann sei Dank kennt man bereits Aspirin.
In drei Jahren wird Walter Gropius sein Architekturstudium an der Technischen Hochschule in München aufnehmen – und bald darauf wieder abbrechen.
In Türnow wird Martha geboren. Oben, im Schlafzimmer des großen Hauses. Unten gibt Otto den Einsatz für die Musik. Zufall oder auch nicht – Marthas Eintritt in die Welt begleitet ein Dreivierteltakt.
Kein Marschrhythmus.
Das kommt später.

□ △ ○

Da ist der Fluss. Und die Brücke über den Fluss. Als der Nebel sich lichtet, erscheint das Haus. Behutsam, Schicht um Schicht, enthüllen sich seine Konturen. Schimmernde Laken gleiten lautlos zu Boden.

Eine sanfte Brise bläht die Vorhänge im Schlafzimmer.

Martha liegt in ihrer Wiege, die Augen weit geöffnet. Eine frisch glänzende Münze, hineingegossen in die Welt. Wer wird sie prägen? Was gibt ihr Wert?

Elfriede ist da gewesen und hat sie gestillt. Der Duft von Milch und Mutterliebe hängt in der Luft.

Sanft schaukelt die Wiege hin und her.

Von links nach rechts.
Von rechts nach links.
Wie von Feenhand bewegt.
Im ganzen Haus hört man Musik.

□ △ ○

Sie haben es von jeher das *große* Haus genannt. Trutzig bietet es der Welt die Stirn. Zwei Dutzend Männer und Frauen leben darin, sicher wie in einer Burg.

Hauptsächlich Männer. Und nur wenige Frauen.

Zwei Kinder.

Ein Junge. Ein Mädchen.

Martha.

Vieles hängt davon ab, ob die Menschen in der Umgebung Geld haben. Und einen Anlass. Und in der Stimmung sind.

Musiker spielen nicht im luftleeren Raum. Und schon gar nicht ohne Honorar. Eine stehende Kapelle ist wie ein lebender Organismus. Dynamisch. Immer in Bewegung. Nichts bleibt, wie es ist – nur die Musik. Sie ist fest verankert. In jeder Zeit.

Otto sagt: »Wenn die Menschen keine Musik mehr hören, sind sie tot.« Das stimmt.

Andererseits bedeuten Beerdigungen für seine Kapelle und ihn eine wichtige Einnahmequelle.

□ △ ○

»Elfriede, wann ist das Essen fertig?« Ottos Stimme ist eines Musikdirektors würdig, dröhnt wie eine Kesselpauke, schmettert wie eine Posaune.

Jericho liegt stets um die nächste Ecke.

Geduldig verdreht seine Gattin die Augen gen Himmel. Sie ruft: »Wie immer steht das Essen um Punkt zwölf auf dem Tisch!«

Das Essen ist eine mildtätige Untertreibung. Eigentlich müsste es die Fütterung heißen. Es gibt Stampfkartoffeln mit Buttermilch. Üppig und nahrhaft. Günstig noch dazu.

Derzeit befinden sich mehr als zwanzig Musiker in Ausbildung, Kost und Logis im Hause Wetzlaff. Hinzu kommen das Dienstmädchen, der Knecht, Martha, Otto und Elfriede. Und Heinzchen.

Heinzchen ist der Erstgeborene. Er ist kurz nach der Geburt verstorben. Im Wochenbett. Hirnhautentzündung, hat der Arzt gesagt.

Für Martha sitzt er immer mit am Tisch.

Er isst allerdings nicht viel.

□ △ ○

Was fühlt eine Mutter, deren Kind gestorben ist? Ein Kind, das sie nicht in der Schwangerschaft verloren, sondern zweihundertachtzig endlose Tage und Nächte unter dem Herzen getragen hat. Das das Licht der Welt erblickt und sich daran entzündet hat.

Seine Haut, sein Hirn.

Elfriede ist erst nach vier Jahren Ehe schwanger geworden. Eines der wenigen Themen, zu denen Otto erschöpfend schweigt.

Bauch und Busen haben sich gerundet, ihre Wangen gerötet. Ihr Haar hat den Glanz einer Kastanie angenommen.

Nie ist Elfriede schöner gewesen.

Als Heinzchen geboren wird, zeigt er die gleichen fein gezeichneten Züge. Doch Körper und Antlitz sind blass. Erst als sein Blut brennt, bekommt seine Haut Farbe.

Heinzchens Lebensflamme erlischt stumm wie eine Kerze. Drei Tage lang verbreitet sie ihr sanftes Licht. Dann ist es vorbei. Still und leise geht er davon – ohne ein einziges Mal geweint zu haben.

Elfriedes Tränen hingegen versiegen nicht.

Bis sie erneut schwanger wird.

Genau ein Jahr und einen Tag nach Heinzchens Tod.

□ △ ○

Ein vertrautes Ritual am Abendtisch. Otto sagt: »Elfriede, gib dem dünnen Hansel nach. Er hat auf seinen Reisen viel Kraft gelassen.« Und mit ruhiger Hand nimmt Elfriede Wolfgangs Teller und legt ihm nach. Ihm, dessen hungrige Augen sich niemals trauen würden, etwas zu sagen.

Später, als sie allein sind, fragt Martha: »Wann bist du gereist?« Sie geht noch nicht zur Schule, ist außerstande, sich vorzustellen, jemals ohne ihn gewesen zu sein. In ihrer Erinnerung ist Wolfgang immer da, hat stets im großen Haus gelebt.

Nachdenklich mustert er sie, so lange, dass sie denkt, er habe ihre Frage vergessen.

Doch er vergisst sie nicht.

Wolfgang antwortet: »Vor deiner Geburt bin ich bei den Tänzerinnen auf Bali gewesen und habe den Trommlern in Kyoto gelauscht. Ich bin auf einen hohen

Berg gestiegen, um den Klang eines Alphorns zu hören, und habe die *Morin chuur* der Mongolen gestrichen, deren oberes Ende ein hölzerner Pferdekopf ziert.«

Martha kann mit all diesen Namen nichts anfangen. Sie sind ihr egal. Wolfgang ist ihr nicht egal. »Warum bist du dort gewesen?«

»Ich bin der Musik gefolgt.«

»Hast du sie gefunden?«

Wieder betrachtet Wolfgang sie lange; diesmal mit dem Blick des Wanderers, der nach langem Suchen endlich sein Ziel erreicht hat. »Auf dem Rückweg aus dem Osten bin ich durch Türnow gekommen. Ich bin durstig gewesen und habe am Brunnen am Marktplatz haltgemacht. Die Frauen haben mit ihren Eimern Wasser geschöpft. Einer von ihnen bin ich gefolgt.«

»Weshalb?«

»Sie hat geweint.«

Martha runzelt die Stirn. »Und was hat das mit der Musik zu tun?«

»Ich bin der Frau vom Marktplatz bis hierhin, ins große Haus, hinterhergegangen. Ein dunkler Klang hat mich geführt.«

»Die Kapelle hat gespielt?«

»Nein. Ich habe ihn bereits am Brunnen wahrgenommen, den dunklen Klang. Elfriede hat getrauert. Um Heinzchen.«

□ △ ○

Der staubige Holzboden im Proberaum, der Geruch von Schuhleder und die Namen der Instrumente – ihre frühesten Erinnerungen. Wie ein kleines Tier krabbelt

Martha zwischen den Beinen der Musiker und ihren Notenständern hindurch.

Unversehens wird sie unter den Achseln gepackt und hochgehoben. Plötzlich sind da Licht und freie Sicht. Sie erblickt Otto, den Taktstock in der Hand. Vor ihm zwei Dutzend Männer mit ihren Instrumenten. Hinter ihr atmet jemand sanft in ihren Nacken. Wolfgang. Es ist immer Wolfgang. Vertrauensvoll lehnt sie sich zurück.

Wolfgang sitzt am Rand. Mit dem Rücken zur Welt spielt er im Proberaum des großen Hauses Klavier. Niemand kennt seinen Nachnamen. Niemand hat ihn je danach gefragt.

Wolfgang genügt.

Otto erzählt, Marthas erstes Wort sei weder »Mama« noch »Papa« gewesen. Geschweige denn »Vater« oder »Mutter«.

»Sie hat *›Pianoforte‹* gesagt«, prustet er und wischt sich mit seinem handtuchgroßen weißen Taschentuch die Tränen aus den Augenwinkeln.

□ △ ○

Die Fenster zur Flussseite sind klein und schmal. In dicke Mauern hineingeschnitten.

Martha sitzt am Flussufer und lässt selbstgebaute Schiffchen zu Wasser. Rindenstücke, beladen mit Eicheln. Kurze Stöcke, denen ein abgebrochener Ast als Mastbaum dient. Große grüne Blätter bilden die Segel. Während ihr Blick dem Schlingerkurs der kleinen Flotte folgt, dringen vertraute Klänge an ihr Ohr.

Sie schaut auf.

Wie Kuchenteig, der beim Plätzchenbacken durch die Mühle gedreht wird, quillt Musik aus dem großen Haus. Durch jede Öffnung quetschen sich bunte Kringel, Schlangen, Stäbchen.

Martha lacht.

Heinzchen neben ihr lacht ebenfalls.

Sie mögen die Bewegung der Musik.

□ △ ○

Ein Wald voller Hosenbeine. Lange, kurze, hochgerutschte. Manchmal ein heller Streifen Haut. Mehr oder weniger behaartes Unterholz. Dazwischen schmale, dünne Stecken. Immer drei gebündelt. Winzige Indianerzelte ohne Wände. Zu eng, um durchzukrabbeln.

»Marthchen, lass die Notenständer stehen!«, ruft Otto. »Sie sollen sich nicht drehen!« Er bemerkt den Reim. Er gefällt ihm. Aus voller Kehle singt er: »Stehen, nicht dre-hen!«

Otto ist Musik. Laute Musik. Immer. Und überall. Und ganz bestimmt seit der Geburt seiner Tochter.

Elfriede hingegen steht für Ruhe. Für zwei starke Arme, die einen halten, drücken, in die man sich hineinschmiegen kann. Elfriede ist braune Augen und dunkles Haar, das immer ein wenig nach Karamell duftet.

Elfriede ist die Liebe der Mutter zu ihrem Kind.

Martha fühlt beides – die Liebe zu Otto und zu Elfriede.

Sie wird sie nie verlassen.

Die Liebe.

□ △ ○

Um sie herum Buntstifte, auf dem Boden verstreut. Die Zunge in den Mundwinkel geklemmt, führt ihre kleine Hand den Stift. Formen, Figuren, phantastische Gebilde fließen aufs Papier. Martha sieht, was sie hört, und hört, was sie sieht. Augen, Herz und Ohren weit geöffnet, folgt sie der Musik.

Als sie fertig ist mit ihrem Werk, steht sie auf und verlässt ihren Platz zu Füßen der Musiker. Sie geht nach vorn und legt Otto ihre Mitschrift vor.

»Was ist das, Marthchen?«

»Musik!«

Otto schaut. Und schaut noch einmal. »Du wolltest Noten malen, nicht wahr?«

»Nein, ich habe die Musik aufgeschrieben!«

Otto weiß, die Frauen in seinem Haushalt irren nur selten. Kleine wie große. Behutsam erkundigt er sich: »Kannst du sie singen – deine Musik?«

Martha legt den Kopf ein wenig schief und lässt Otto und die Musiker teilhaben. Teilhaben an dem, was ihr begegnet ist. In ihrem Kopf. In ihrem Bauch. Was sie in ihrem musikalischen Gedächtnis abgelegt hat.

Nach wenigen Sekunden winkt Otto verdattert ab. »Marthchen, das ist keine Melodie! Es klingt nicht einmal wie Musik. Vielleicht meinst du das?« Er singt ihr eine Tonfolge aus dem zuvor geprobten Stück vor.

Martha wiederholt, was sie gesehen hat. Diesmal in Ottos Stimme. Das Ergebnis ist das gleiche.

»Nun, wir halten fest, Marthchen«, feierlich streckt Otto den Zeigefinger in die Höhe, »eine Gießkanne verfügt über ein besseres Gehör als du!«

□ △ ○

Martha geht hinaus in den Garten. Frisches Grün, der Duft von Flieder. Die Natur erweist sich als wohlriechendes Labor.

Sie beugt sich über die alte, verbeulte Gartenkanne. Kalt liegt das Metall ihren Lippen an, als ihr Mund die Tülle umschließt. Sie atmet tief ein. Und aus. Laut und deutlich singt sie ein »La«. Der Klang wird fortgeleitet, wandert ins Innere der Kanne, deren Bauch einen vollen Wohlklang erzeugt.

»Laah.«

Eine Klangkugel steigt empor.

Martha besitzt nur eine vage Vorstellung vom Aufbau des menschlichen Ohres – sie denkt ihn sich wie bei einer Gießkanne. Die Töne dringen in die Tülle ein, von wo aus sie ins Innere des Ohres, sprich, in die Kanne selber gelangen.

Selbstverständlich hat Otto recht. Jede Gießkanne, die etwas auf sich hält, hat ein besseres Gehör als sie. Weil – viel größer.

Wer wollte das bezweifeln?

□ △ ○

Vormittags erteilt Otto den Auszubildenden Unterricht. An sämtlichen Blasinstrumenten und an Geige, Bratsche und Bass. Das ist der Grund, weshalb die jungen Leute zu ihm kommen. Sie wollen Berufsmusiker werden. Sie erlernen bei ihm ein zweites oder drittes Instrument, das Ensemblespiel sowie das präzise Beibehalten von Tempo und Rhythmus unter allen Umständen.

Darüber hinaus erarbeiten sie sich ein Repertoire, bestehend aus Walzern, Märschen, beliebten Volksliedern und einfachen klassischen Stücken. Nach drei Jahren in der Kapelle können sie die Stücke vorwärts, rückwärts, betrunken, nüchtern und mit geschlossenen Augen spielen. Bei Regen, Schnee, sengender Hitze und Sturm. In überfüllten Sälen und unter freiem Himmel.

Nach drei Jahren, in denen sie im Musikinternat Wetzlaff Kost, Logis und Unterricht erhalten und Ottos musikalischem Kollektiv ihr Talent zur Verfügung gestellt haben, sind sie Musiker.

Manche bleiben in der Kapelle, andere gehen auf Wanderschaft. Noch andere spielen in verschiedenen Combos und helfen nur noch gelegentlich aus, wenn eine große Besetzung benötigt wird.

Nur einer bleibt.

Wolfgang.

Er ist immer da.

□ △ ○

Am liebsten spielt Otto Bass. Kontrabass. Und Tuba. Natürlich, was sonst? Jeder sollte das Instrument spielen, das zu ihm passt. Oder zu dem er passt.

Otto ist eins fünfundachtzig groß und kräftig gebaut. Er ist definitiv kein Flötist.

Neben der Musik besteht seine liebste Beschäftigung im Kartenspiel. Geberskat mit deutschem Blatt.

»Schellen Solo!«

»Null Ouvert!«

»Grand Hand!«

Otto und seine Mitspieler treffen sich abwechselnd in der Gastwirtschaft und zu Hause. Im großen Haus sitzt Martha unter dem Spieltisch, mit einem eigenen Kartenspiel und eigenen Regeln. Fasziniert lauscht sie den Ansagen, die wie eine fremde Sprache klingen. Ab und an zuckt sie zusammen, wenn eine Karte vehement auf den Tisch gedroschen wird.

Erstaunlicherweise ist die Luft unter dem Tisch am besten. Otto und die Honoratioren rauchen dicke Zigarren, deren Qualm sich um ihre Köpfe legt. Dennoch verliert keiner den Durchblick.

Sie spielen um hohe Einsätze.

Manchmal, nach ein paar Bier und ebenso vielen Schnäpsen, erhöhen sie den Punktwert.

Dann wird es sehr still am Tisch, und Martha, darunter, hält den Atem an.

□ △ ○

Nachmittags, von drei bis fünf, ist Orchesterprobe. Neue Stücke werden einstudiert, alte aufpoliert. Alle ordnen sich Otto und seinem Dirigat unter. Er ist der Kapellmeister.

Nicht zuletzt dank jener Eigenschaft gilt er als angesehener Bürger Türnows. Er darf mit den Honoratioren am Tisch sitzen und Skat spielen. Dem Gutsherrn, dem Bürgermeister und Doktor Goldstein, dem jüdischen Arzt. Sie spielen zu viert. Der Geber setzt aus.

Sie spielen täglich; verfügen alle über ein Übermaß an Zeit. Zumindest tun sie so.

Eines Tages kommt Otto aus dem Wirtshaus nach Hause. »Elfriede«, ruft er und zeigt auf die Wände ringsherum, »was siehst du?«

Elfriede kennt Otto und seine Fragen, weiß, dass sie

mit einem Künstler verheiratet ist. Geduldig antwortet sie: »Ich sehe die Mauern des großen Hauses.«

»Und was siehst du hier?« Otto deutet auf einen unscheinbaren weißen Zettel in seiner Hand.

»Einen nicht ganz sauberen weißen Zettel, mein Lieber.«

»Das ist richtig und falsch zugleich«, schmettert Otto. »Dieses unschuldige Stück Papier ist ein Schuldschein. Unterschrieben von Doktor Goldstein. Von nun an besitzen wir nicht nur das große, sondern auch ein *kleines* Haus. Ich habe es beim Skat gewonnen!« Er räuspert sich. »Wir haben vorübergehend die Einsätze erhöht.«

□ △ ○

Im Herbst rücken auf den abgeernteten Feldern die Stoppelgänse an. Die Bauern treiben ihr Federvieh auf die Äcker, wo es die übriggebliebenen Körner pickt. Martha weiß, die meisten Weidegänse werden in wenigen Monaten als Weihnachtsbraten oder Spickbrust enden. Sie selber isst nicht viel Fleisch; ihr Lieblingsessen sind Wruken.

Otto und die Musiker verziehen das Gesicht, sobald die hellen Knollen auf den Tisch kommen. Aber Elfriede bleibt eisern – einmal in der Woche gibt es Steckrüben. Als Beilage oder Hauptgericht; als Gemüse, Suppe und manchmal sogar gemahlen als selbstgebackenes Brot. Ihr Haushaltsbuch ist ihre Bibel. Noch nie hat sie ihren Gatten um zusätzliches Geld bitten müssen.

Marthas Augen strahlen, sobald sie die in dicke Stifte oder Würfel geschnittenen Rüben entdecken. Auch

Wolfgang isst mit Appetit. Er mag gar kein Fleisch. Und keine Eier. Außerdem meidet er Wolle.

Er erklärt Otto und den anderen, einer der berühmtesten Musiker der Antike sei Orpheus gewesen. Er habe seinen Schülern Erlösung durch Reinigung und Askese versprochen.

»Das ist gut«, antwortet Otto, »aber hat er deshalb Wruken essen müssen?«

□ △ ○

Im Herbst werden nicht nur die Gänse auf die Felder getrieben. Für die Erstklässler beginnt die zweite Hälfte des Schuljahres. Nach den Osterferien haben sie stolz ihre neuen Ranzen aufgeschnallt, sich an den Händen gefasst und eine Kette gebildet – quer über die Straße. Sobald ein Fuhrwerk vorbeigekommen ist, sind sie auf dessen Ladefläche auf- und wenige Meter weiter wieder von ihr abgesprungen. Wenn sie eines Automobils ansichtig geworden sind, haben sie in die Hände geklatscht und laut »Oooh!« gerufen.

Es sind deutlich mehr Fuhrwerke als Automobile auf der staubigen Straße an ihnen vorbeigerattert.

Mit Hilfe ihrer Fibel hat Martha in den zurückliegenden Monaten die meisten Buchstaben und ein wenig lesen und schreiben gelernt. Papier und Bleistift sind ihr ohnehin vertraut.

Zahllose musikalische Mitschriften legen Zeugnis davon ab.

□ △ ○

Lehrer Pauels hat sein Bein im Krieg verloren. Erstaunt hört Martha, dass deutsche Soldaten gemeinsam mit anderen Truppen gegen störrische *Boxer* gekämpft haben. Pauels deutet mit seinem Gehstock auf einen Punkt auf dem großen hölzernen Globus. »Da liegt es nun und verrottet!« Ein Tier scheint ihm ins Auge geraten; er reibt es heftig.

Martha weiß nicht, wo *da* ist, traut sich aber nicht zu fragen.

Als Nächstes zieht Lehrer Pauels eine gewaltige Landkarte vor der Tafel herunter. Braun, grün, blau. Mit Hilfe seines Stockes zeigt er seinen Schützlingen die Heimat.

»Hier wohnen wir, im Land am Meer.«

Martha hat das Meer noch nie gesehen. Sie wird zu Hause danach fragen. Die Schiefertafeln quietschen, als die älteren Schüler zehnmal schreiben: *Ich wohne im Land am Meer.*

Danach steht Rechnen auf dem Stundenplan. Die Großen in der letzten Reihe lösen Textaufgaben. »Ein Bauer hat vierzig Hühner. Jedes von ihnen legt pro Tag ein Ei …«

Martha und die anderen Kleinen ziehen ab. Sie sagen nicht »weniger« oder »minus«. Sie sagen »ab«: »Vier ab zwei ist zwei.«

Martha mag Rechnen. Sie kann gut mit Zahlen umgehen. Sie erinnern sie an die geheimnisvollen Zeichen in der Musik, die sie zu Hause, im Proberaum, zu Papier bringt. Sie staunt, als Lehrer Pauels jetzt an die Tafel schreibt: *Zwei ab eins ist null.*

Diesmal reibt er sich durch beide Augen. Ein weiteres Tier?

Er schnäuzt sich in sein dünnes, bereits ein wenig angegriffenes Taschentuch.

□ △ ○

In der Schule wird gesungen. Alle singen, von der ersten bis zur achten Klasse. Gemischter Chor, ob Stimmbruch oder nicht.

Martha bekommt einen Brief mit nach Hause. Es gehe nicht an, schreibt Lehrer Pauels, dass die Tochter des Herrn Musikdirektors kein Volkslied singen könne. *Gerade!*, fügt er, sicherheitshalber mit einem Ausrufezeichen versehen, hinzu.

Otto ruft Martha zu sich. »Es geht nicht an«, sagt er, »dass mein Marthchen kein Volkslied singen kann. Gerade!«, fügt er, sicherheitshalber mit einem Ausrufezeichen versehen, hinzu.

Martha nickt.

Sie freut sich, als Otto erklärt, er werde von nun an mit ihr üben.

Sie gehen in den Proberaum, wo der staubige Holzboden und eine versprengte Herde Notenständer auf sie warten.

Otto setzt sich ans Klavier. »Zuerst die Tonhöhe«, doziert er mit gewichtiger Miene. Er drückt eine weiße Taste. Ein Ton erklingt. »Und nun aufgepasst!« Er drückt eine andere Taste. »Höher oder tiefer?«

Martha blickt ihn fragend an.

»Höher oder tiefer?«, fragt Otto mit Musikdirektorenstimme.

Martha versucht es mit: »Höher?«

»Noch einmal«, sagt Otto. Wieder drückt er zwei Tasten hintereinander. »Welcher der beiden Töne ist höher, Marthchen? Der erste oder der zweite?«

Diesmal entscheidet Martha sich für: »Der erste?«

»Nun ja, knapp daneben ist auch vorbei!« Otto besinnt sich auf seine pädagogischen Fähigkeiten. »Wir versuchen etwas anderes.« Er drückt drei Tasten gleichzeitig. »Klingt dieser Akkord eher traurig oder fröhlich?«

Martha findet es grundsätzlich schön, wenn Musik gemacht wird, und antwortet: »Fröhlich!«

Otto räuspert sich. »Zweiter Versuch. Fröhlich oder traurig?«

Martha bemerkt den Ausdruck in seinen Augen. »Traurig?«

Otto versieht sie mit einem tapferen Lächeln. »Du hast recht, Marthchen. Was ist schon ein Halbton unter Freunden?«

□ △ ○

Otto fragt Elfriede um Rat.

Allein daran spürt sie seine Not.

Neben ihr im Bett liegend, spricht er ungewohnt leise. »Niemand ist so unmusikalisch. Schon gar nicht die Tochter eines Musikdirektors. Was ist zu tun?«

Elfriede denkt nach, ihr Blick geht nach innen. »Wolfgang fragen?«, schlägt sie in sanftem Ton vor. »Er hat viel gesehen und sieht immer noch viel.«

»Recht hast du, Weib!« Die gewohnte Energie kehrt in Ottos Stimme zurück. »Wer die Mongolen kennt, kommt auch mit den Frauen zurecht. Selbst wenn sie noch klein sind.«

Elfriede schätzt Otto. Über alle Maßen. Dennoch ist

sie froh, dass es im Schlafzimmer dunkel ist. So kann er ihr Gesicht nicht sehen.

Ihr Seufzen hört er ohnehin nicht.

Egal, ob hell oder dunkel.

□ △ ○

Wolfgang sitzt am Klavier. Ausnahmsweise nicht mit dem Rücken zur Kapelle, sondern zu Martha. Er schlägt eine Taste an.

»Was hörst du?«

»Musik.«

Wolfgang lächelt. »Ein guter Anfang.« Er schlägt eine weitere Taste an. »Und was fühlst du?«

»Es ist schön.«

Wolfgang oktaviert den Ton. »Merkst du einen Unterschied?«

»Er ist kleiner.«

»Wie bitte?«

»Der zweite Ton ist kleiner als der erste.«

»Woher weißt du das?«

»Das sieht doch jeder …«

Wolfgang runzelt die Stirn.

»… dass der zweite Ton kleiner ist als der erste.«

Wolfgang oktaviert erneut nach oben. »Und jetzt?«

»Noch viel kleiner.«

Er drückt eine Taste ganz weit links, im tiefen Register. »Groß?«

Martha lächelt. »Riesig!«

Wolfgangs Blick wandert in die Ferne. Auf seinen Reisen ist er Menschen begegnet, die Musik in Farben gesehen haben. Er schlägt ein C an. »Welche Farbe?«

»Nicht so wichtig …«

Schade. Es wäre interessant gewesen.

»… aber auf jeden Fall rund.«

»Was sagst du da?«

»Du hast einen Kreis gespielt.«

Wolfgang spielt den gleichen Ton noch einmal, erneut eine Oktave höher.

»Ein kleiner Kreis.« Martha klingt gelangweilt.

Zwei Oktaven tiefer.

»Ein großer Kreis.«

»Einen Moment Geduld noch, Liebes.« Er spielt ein F.

»Viereck.«

Ein H.

»Dreieck.«

Fasziniert dreht Wolfgang sich auf der Klavierbank um. Ohne hinzusehen, den Blick fest auf Martha gerichtet, schlägt er einen Mollakkord an. Fragend neigt er den Kopf.

»Kugel!«

Ein Durakkord.

»Würfel!«

»Du siehst es vor dir, richtig?«

Martha zögert mit ihrer Antwort. »Du nicht?«

□ △ ○

»Ich mag dich um einen Gefallen bitten. Wenn die Töne kleiner werden, sag einfach höher. Einverstanden?«

Martha nickt.

»Und sobald sie sich vergrößern, tiefer.« Wolfgang

kneift ein Auge zu. »Und bevor ich es vergesse: Rund ist traurig, eckig ist fröhlich. Das sieht doch jeder, nicht wahr?«

Sie holen Otto und Elfriede herein.

Otto spielt, Martha antwortet.

»Höher.«

»Tiefer.«

»Tiefer.«

»Höher.«

Otto staunt.

»Traurig.«

»Fröhlich.«

Elfriedes Augen strahlen. Martha lacht.

Nur Wolfgang schweigt.

□ △ ○

»Es ist eine Geheimsprache, nicht wahr?«

Wolfgang nickt.

»So wie eure Musikersprache?«

Wolfgang schüttelt den Kopf. »Nein, anders. Die Musikersprache sprechen die meisten von uns. Deine Sprache beherrschst nur du.«

Martha blickt unauffällig zur Seite.

Heinzchen grinst. Natürlich spricht auch er ihre Sprache. Er hängt es nur nicht an die große Glocke.

»Die Musikersprache ist eine geliehene Sprache«, erklärt Wolfgang. »Sie stammt eigentlich aus dem Osten. Man nennt sie Kaschubisch. Aber die Menschen, die sie sprechen, werden immer weniger. Ihre Sprache stirbt aus. Darum haben die Musiker sie sich ausgeliehen. Damit sie überlebt.«

Martha erinnert sich an ein paar der merkwürdig klingenden Worte.

»*Mola, mola*«, sagt Otto, wenn der Auftraggeber schlecht bezahlt.

»*Tósz*, der Hund«, antwortet die Kapelle und lacht.

Die Winter in Pommern sind lang und hart. Den Frühling gibt es nicht, dafür im Sommer reichlich Niederschlag. Das Land am Meer ist keine Industrieregion. Es nährt die Menschen aus sich selbst.
Man schreibt das Jahr 1916. Thomas Mann sitzt an den Betrachtungen eines Unpolitischen. *Ausgerechnet. Dank Kaiser Wilhelms II. inspirierender Rede gut anderthalb Jahrzehnte zuvor wissen die Alliierten nun, gegen wen sie Krieg führen: die Hunnen.* Aspirin *kostet im amerikanischen Großhandel fünfundachtzig Cent die Unze.*
Walter Gropius kommt der Bitte des Ministerialdepartements des Inneren nach und legt seine mündlichen Ausführungen bezüglich der Gründung einer neuen Lehranstalt in Weimar schriftlich dar – man ist weiterhin interessiert an der Idee einer künstlerischen Beratungsstelle für Industrie, Gewerbe und Handwerk.
In Türnow verliert Martha die Lust auf Wruken – die Kartoffelernte ist katastrophal ausgefallen. Ottos Kommentar zum Speiseplan: »Morgens Steckrübensuppe, mittags Koteletts von Steckrüben, abends Steckrübenbrot.«
Die Kapelle tritt jetzt meist in kleiner Besetzung auf. Die Hälfte der Musiker ist eingezogen worden.
Otto spielt nur noch im Dreivierteltakt. Er sagt: »Darauf kann man wenigstens nicht marschieren!«

□ △ ○

Samstagabend findet im *Schützenhof* die wöchentliche Tanzveranstaltung statt – hinten, im großen Saal. Martha zieht ihr schönstes Kleid an, das dunkelblaue mit den weißen Punkten. Sie trägt die Brosche, die Wolfgang ihr zum sechzehnten Geburtstag geschenkt hat.

»Ein Familienerbstück«, hat er gesagt und ihr die schmale goldene Nadel angesteckt, die wie ein winziger Messstab aussieht.

Linker Hand, auf der leicht erhöhten Bühne, stehen zwei einsame Gestalten – Otto spielt Bass, Wolfgang Klavier. Davor, auf der Tanzfläche, ist es nicht viel voller. Die Mädchen drehen ihre Runden untereinander.

Im *Schützenhof* herrscht Männermangel. Zuerst sind die neunzehn- und zwanzigjährigen Burschen von der Bild- beziehungsweise Tanzfläche verschwunden, dann haben die siebzehn- und achtzehnjährigen das Parkett verlassen.

Das Glück hat sich gewendet.

Im Krieg und in der Liebe.

Martha weigert sich, mit den anderen Mädchen zu tanzen. Tanzen bedeutet für sie junge Männer. Einer der wenigen überhaupt in Frage kommenden steht am Rand des Tanzsaales, die Hände in den Hosentaschen. Verlegen scharrt er mit dem Fuß über den Boden. Martha fasst ihn genauer ins Auge und sich schließlich ein Herz. Sie überquert die Tanzfläche.

»Damenwahl«, sagt sie, unsicher, was gemeint ist – Frage oder Aufforderung.

Ihr Gegenüber sieht sie an. Er ist noch größer und kräftiger als Otto, aber gerade einmal ein Drittel so alt. Martha schätzt ihn auf fünfzehn. Sie hat sich vertan. Ein großer Junge, kein junger Mann.

»Ich kann nicht«, flüstert er.

»Unfug«, entgegnet sie, mutiger geworden, »jeder kann tanzen!«

»Es ist nicht …« Er starrt nach unten, auf seinen Fuß,

dessen Spitze nach wie vor die Holzdielen des Tanzsaales bearbeitet. Martha folgt seinem Blick.

Sie hat sich nicht nur im Hinblick auf sein Alter vertan.

Ihr Opfer scharrt nicht aus Verlegenheit mit dem Fuß über den Boden. Eines seiner Beine ist eindeutig kürzer als das andere und endet in einem unförmigen Schuh.

»Du würdest damit einem Mädchen sicher nicht zu nahe treten?«, fragt sie sanft.

»Nein«, antwortet der Junge gequält, »das würde ich nicht.«

□ △ ○

Johann ist das jüngste von insgesamt dreizehn Kindern. Seine Eltern sind deutlich fruchtbarer als das Land, das sie bestellen.

Es hat zwei Mütter gebraucht auf dem Bauernhof in Kartkow, etwa zehn Kilometer von Türnow entfernt, um solch einen stattlichen Nachwuchs zusammenzubekommen. Die Mutter seiner Halbgeschwister hat Johann nie kennengelernt. Nachdem sie einem halben Dutzend Nachkommen das Leben geschenkt hat, ist sie stumm verstorben. Seine leibliche Mutter lebt, ist allerdings ebenfalls still, genau wie der Vater. Es wird nicht viel gesprochen auf dem Hof in Kartkow, dafür umso mehr gearbeitet.

Mitten im Krieg findet sich kaum noch Hilfe; auch die Saisonarbeiter werden vom Weltenbrand verschluckt. Folglich legt man selber Hand an. Mehr denn je.

Seit über hundert Jahren befindet sich der Hof in Familienbesitz. Mittlerweile hat ihn der Älteste geerbt, alle anderen sind leer ausgegangen. Johann hat sich als Knecht bei seinem Bruder verdingt. Außerdem hilft er dem Nachbarn in der Molkerei und an dessen Fischteichen.

Sein Klumpfuß steht ihm nicht im Wege; er verfügt über einen festen Stand. Dann sind da noch seine Muskeln. Johann besitzt gewaltige Kräfte.

Martha legt den Kopf in den Nacken, um ihrem Opfer ins Gesicht zu schauen. Ihr fällt Ottos Reim ein – damals, als sie ein kleines Mädchen gewesen und zwischen den Musikern und ihren Notenständern herumgekrabbelt ist. Sie fragt: »Wollen wir nur stehen oder uns auch drehen?«

Behutsam greift Johann nach Marthas Hand und führt sie auf die Tanzfläche. Wie ein Küken fühlt seine Partnerin sich an, so zart kommen ihm ihre Knochen vor. Unsicher baut er sich vor Martha auf, setzt seinen großen Fuß zwischen ihre kleinen Füße. Das hintere Bein dient ihm als Standbein, das andere gleicht aus. Auch wenn er sich nicht wirklich dreht – Martha bewegt sich leicht und mühelos unter dem schützenden Dach seiner Hand.

Oben auf der Bühne sagt Otto: »Martha tanzt mit einem hinkenden Goliath.«

»Lass gut sein, Otto«, erwidert Wolfgang, »sein Fuß erspart ihm wenigstens den Krieg.«

»Und das soll reichen für mein Marthchen?«

»Wart ab, was die Zukunft bringt«, erwidert Wolfgang, »wenn der Krieg die jungen Männer wieder nach Hause schickt.«

□ △ ○

Über die Brücke, am Flussufer entlang. Kein Liebespaar. Auch wenn da Liebe ist.

Wolfgang sagt: »Hat er einen Namen?«

»Johann«, antwortet Martha. »Sein linkes Bein ist kürzer als das rechte.«

»Ich hab's gesehen. Magst du ihn?«

»Ja, schon.« Martha holt tief Luft, als wollte sie auf den Grund eines unbekannten Gewässers hinabtauchen. »Was meinst du – was macht einen Menschen aus?«

Wolfgang schweigt. Jeder Schritt markiert einen Abschnitt Wortlosigkeit. Schließlich räuspert er sich und sagt, was er denkt, was von ihm erwartet wird: »Die Liebe?«

Martha neigt unmerklich den Kopf. »Mag sein«, lächelt sie, »aber davon verstehe ich nichts.« Sie zögert. »Noch nicht. Nein«, fährt sie fort, »ich frage mich, was ganz am Anfang ist? Das, was uns von Beginn an umgibt? Die allerersten Dinge?«

»Was willst du damit sagen?«

»Ich meine die Musik! Sie ist immer da gewesen. Von meinem ersten Atemzug an.« Sie bleibt stehen. »Genau wie du.«

Wolfgang gibt ihren Worten Zeit. Zeit zu wirken. Sein Blick wandert zurück, in die Vergangenheit, als Martha ein winziges Wesen in einer Wiege gewesen ist. Die Augen offen, die Hände zu Fäusten geballt. Im ganzen Haus hat die Musik gespielt.

»Du willst wissen, inwieweit all die Töne, Harmonien und Klänge, die du seit deiner Kindheit empfangen hast, deine Persönlichkeit beeinflusst haben? Ob sie für jene besondere Gabe des Musik*sehens* bei dir verantwortlich sind?« Er zuckt mit den Achseln. »Wer weiß?

Doch vielleicht liegen die Dinge auch anders, und all das war schon in dir? Als Teil deines väterlichen und mütterlichen Erbes?«

»Mhm«, Martha betrachtet Wolfgang mit festem Blick, »darüber habe ich noch nicht nachgedacht.« Sie runzelt die Stirn. »Aber egal, woher es stammt, es fühlt sich nicht vollständig an. Du weißt, meine Mitschriften. All die Versuche, die innere Bewegung der Musik abzubilden. Ihr Wesen nicht nur wahrzunehmen, sondern auch der Außenwelt zu vermitteln. Etwas Entscheidendes fehlt noch. Das Bindeglied zwischen dem, was ich höre und sehe. Verstehst du?«

»Um ehrlich zu sein, nein.«

»Nun, jeder soll erkennen, was ich höre. Sehen, was ich sehe. Aber die Zeichnungen reichen dafür nicht aus. Sie sind zu ungenau, geben nur unzureichend wieder, was ich empfinde.«

Wolfgang denkt an Ottos und auch seine eigene Reaktion auf die Zeichen, Symbole und abstrakten Formen, die Martha zu Papier bringt. Es geht ihm dabei wie mit der modernen Malerei – er sieht, aber er versteht nicht. »Ich vermute, dir schwebt eine Alternative vor?«, fragt er.

»Es geht darum«, Martha sucht nach den richtigen Worten, »wie eine Art Bildhauer eine Welt aus Klängen zu erschaffen. Skulpturen, die aus nichts anderem bestehen als aus zu Wirklichkeit gewordenen Tönen.« In ihren Augenwinkeln erscheinen ein paar winzige Fältchen. »Also eigentlich ganz einfach. Ich benötige ein Instrument. Aber keinen Lehrer!«

Wolfgang nickt. Dann schüttelt er den Kopf. »Wie willst du das deinem Vater erklären? Er steht deinen musikalischen Fähigkeiten eher zurückhaltend gegenüber.«

»Gar nicht. Du erklärst es ihm ...«

Am Abend desselben Tages nimmt Wolfgang Otto zur Seite. »Martha will ein Instrument spielen.«

»Sie möchte, dass ich es ihr beibringe?«, fragt Otto beunruhigt.

»Nein, sie beabsichtigt, auf Unterricht und einen Lehrer zu verzichten.«

»Wie soll das gehen?«

»Nun«, sagt Wolfgang, »auf meinen Reisen bin ich vielen Arten von Musik begegnet, auch seltsam anmutenden.«

»Du meinst ... *Ragtime*?«

»Nein, noch seltsamer anmutenden, Otto.«

Am nächsten Tag nimmt Martha das Geigenspiel auf.

□ △ ○

Nicht zum ersten Mal in den zurückliegenden Wochen lehnt Johann sein Fahrrad mit dem Lenker an die Wand des großen Hauses. Sorgfältig klopft er sich den Staub von den Hosenbeinen. Er trägt seinen besten und einzigen Anzug.

Martha und Elfriede sind bereits fertig. Auch sie haben Sonntagskleidung angelegt. Gemessenen Schrittes begleitet Johann sie zum Marktplatz, wo Otto und die Kapelle warten.

Der Pfarrer segnet die Feldfrüchte, und ein Choral wird angestimmt. Johann bemüht sich, nicht allzu offensichtlich zu Martha hinüberzustarren, die sich mit

Elfriede zu den anderen jungen Frauen und deren Müttern gesellt hat.

Der Pommeraner liebt Festumzüge zu fast jeder Gelegenheit. Doch kaum hat die Menge sich in Bewegung gesetzt, ist es – zumindest was die weiblichen Teilnehmer betrifft – schon wieder vorbei. Ein heftiger Schauer geht über Türnow nieder. Helle Kleider und sorgfältig gesteckte Flechtfrisuren werden in Sicherheit gebracht.

Otto und die Kapelle sind vorbereitet. Sommer, Festumzüge und Regen gehören zusammen im Land am Meer:

's fängt an zu tröpfeln,
's kommt ein Weib mit Äpfeln …

Die Erwachsenen lachen, die Kinder kennen das Lied aus der Schule. Kaum sind die ersten Töne erklungen, singen alle mit.

Martha hat sich eine Strickjacke umgehängt. Trotzdem hält Johann schützend seine Anzugjacke über sie, als sich die Prozession am Stadtrand auflöst. Männer, Frauen und Kinder – alle treten den Heimweg an, zu den Gehöften, auf denen sie leben.

Einen Großteil der Strecke legen Martha und Johann hinten auf einem Fuhrwerk zurück. Auf dem Hof werden sie mit einem Schnaps begrüßt. Martha riecht, Johann nippt. Beide mögen keinen Alkohol.

Johanns Bruder wird als Hofbesitzer *der Olle* gebunden. Eine Strohpuppe, die aus den letzten Garben der diesjährigen Ernte besteht.

Die dunklen Wolken verziehen sich ebenso schnell, wie sie aufgezogen sind. Die Sonne kommt hervor. Trotz des Krieges findet sich auf den Tischen Butter, Brot und Käse. Es gibt prall gefüllte Würste und eingelegte Gurken. Überall auf der langen Tafel liegen Kartoffeln, Möhren und Radieschen. Äpfel und Birnen ruhen friedlich nebeneinander in flachen Schalen.

Johann stellt Martha seinen Eltern vor. Der alte Bauer schweigt, seine Frau lächelt nach innen.

Erntedank.

Johann schwitzt in der schwülen Spätsommerluft.

□ △ ○

Schmied Kowalski stirbt – hochbetagt und zur rechten Zeit. Zuletzt hat er sich geweigert, mehr als drei Hufe pro Tier zu beschlagen. Weder für Ross noch Reiter ein befriedigender Zustand.

In der Nacht vor der Beerdigung wird sein Leichnam in der Kirche aufgebahrt.

Die Kirchturmuhr hat zum vierten Mal geschlagen, als Rudi, der Sohn des Bürgermeisters, in ein weißes Leichenhemd gewandet, hinter dem Sarg in Stellung geht. Drei andere große Jungen verstecken sich im Beichtstuhl.

Eine Stunde später öffnet sich die Tür zur Sakristei, und Küster Wanzke betritt das Kirchenschiff – der Frühgottesdienst in St. Katharinen will vorbereitet werden. Andächtig nähert er sich, die Messbücher unter dem Arm, dem Altar, geht auf die Knie und senkt den Kopf. Im selben Moment springt Rudi hinter dem Sarg hervor und stößt einen markerschütternden Schrei aus. Wanzke zögert nicht lange. Er springt auf, holt mit der dicken Agende aus und schlägt Rudi nieder.

»Wer tot ist, soll tot bleiben!«, knurrt er.

Ganz so schlimm kommt es nicht. Trotzdem fehlt

Rudi eine Woche lang in der Schule. Sein Kopf brummt und dröhnt und quietscht wie die verstimmten Pfeifen der Kirchenorgel.

Wachstumsschmerzen, vermerkt Doktor Goldstein, der jüdische Hausarzt der Familie, fein säuberlich auf der Karteikarte, nachdem Rudi ihm von seinen besorgten Eltern in der Sprechstunde vorgestellt worden ist.

□ △ ○

Sie fahren ans Meer. Martha hat einen Korb am Lenker ihres Fahrrads befestigt. Er enthält für jeden eine Scheibe Brot und einen Apfel. Johann hat eine Flasche Milch aus der Molkerei mitgebracht.

Pommersches Picknick.

Es ist nicht weit. Nur ein paar Kilometer mit dem Rad entfernt. Die Wasserfläche erstreckt sich scheinbar endlos vor ihren Augen. Einladend glitzert die Sonne auf den sanft bewegten Wellen.

Sie nennen es das Meer, aber es ist kein Meer. Am Ufer des Jassener Sees nisten Seeadler und Kormorane. Johann erklärt, dass sie großen Schaden im Fischbestand der umliegenden Teiche anrichten. Doch der Graf auf dem nahen Gut halte schützend seine Hand über sie.

Ein Tierfreund. Seine Kinder, so heißt es, erziehe er recht streng.

Der schmale Fußweg schlängelt sich durch einen lichten Birkenwald bis ans Ufer des Sees. Ein Fleckchen Wiese und warmer Sand.

Lehrer Pauels hat großen Wert darauf gelegt, dass jeder seiner Schüler schwimmen lernt. In der Turnstunde stehen sie auf dem Pausenhof und üben die Armbewegungen. Später, in der kleinen Turnhalle, kommen – auf einem Kasten liegend – die Beinschläge hinzu.

Für Wasser hat jeder selbst zu sorgen.

»Wer zuerst auf der Halbinsel ist!«, ruft Martha.

Junge kräftige Arme teilen die Fluten, lange Zeit sind sie gleichauf. Letztlich setzt sich Johanns größere Ausdauer durch. Nach Luft schnappend, liegen sie am sandigen Ufer, über ihnen nur der blaue Himmel.

Martha dreht sich zur Seite, stützt sich auf dem Ellenbogen ab. »Es gilt weiter, du würdest einem Mädchen nicht zu nahe treten?«, sagt sie, unsicher, was gemeint ist – Frage oder Aufforderung.

»Nein, das würde ich nicht.«

Martha bleibt ungeküsst.

Sie weiß nicht, ob sie enttäuscht oder erleichtert sein soll.

□ △ ○

Johann holt Martha vor der Schule ab. Sie absolviert ihr Abschlussjahr. An der höheren Mädchenschule.

»Können wir uns das leisten, Otto?«, hat Elfriede seinerzeit gefragt.

»Nein«, antwortet Otto, »aber wofür habe ich jahrelang am Kartentisch geschuftet?«

Elfriede schweigt. Der Verkauf des *kleinen* Hauses sichert Marthas Schulgebühren. Elfriede hat es in all den Jahren nicht ein einziges Mal betreten – Doktor Goldsteins beim Skat verlorenes Gesindehaus. Er, der Heinzchens Tod festgestellt hat.

Martha ist erleichtert gewesen, nach Abschluss der Volksschule nicht direkt eine Ausbildung beginnen zu müssen. Sie hätte ohnehin nicht gewusst, was sie tun sollte.

Die Hände in den Hosentaschen, wie damals am Rand der Tanzfläche, steht Johann auf der gegenüberliegenden Straßenseite und beobachtet, wie Martha das Schulgebäude verlässt.

»Soll ich das für dich tragen?« Er zeigt auf den schwarzen Kasten in ihrer Hand.

Sie nickt. Einträchtig schlendern sie in Richtung Marktplatz.

»Was ist dadrin?«

»Meine Geige. Wir haben im Musikunterricht gerade Instrumentenkunde. Ich habe sie den anderen gezeigt.«

»Kannst du spielen?«

Martha zieht ihn am Ärmel. »Komm mit!«

Sie biegen in den kleinen Park zwischen Schule und Kirche ab. Der Fluss ist hier ganz schmal, eher ein Rinnsal denn ein ernstzunehmendes Gewässer.

Martha hält an einer Bank. Sie stellt den Geigenkoffer ab, packt ihr Instrument aus und setzt den Bogen an.

Nach ein paar Sekunden sagt Johann: »Das klingt … eigenartig.«

Martha spielt weiter.

»Falls es ein Lied ist, kenne ich es nicht«, bemerkt er vorsichtig.

Martha setzt den Bogen ab. »Es ist kein Lied. Es ist etwas anderes.«

Sie reicht ihm das Instrument. »Jetzt du!«

»Aber ich …«

»Ich weiß, du kannst weder tanzen noch Geige spielen. Tu's trotzdem!«

Johann hütet sich zu protestieren. Er hat gelernt, dass Martha die Dinge nicht so sieht wie er. Sie besucht die höhere Mädchenschule, er arbeitet als Knecht. Allein das macht einen Unterschied.

Er ahmt Marthas Haltung nach und klemmt sich die Geige unters Kinn. Dann legt er den Bogen auf die Saiten und streicht. Ein kratzendes Geräusch ertönt.

»Denk an etwas!«

»Woran?«

»Vollkommen egal.«

Johann schließt die Augen. Er denkt an die Molkerei, in der er am Vormittag die Milchkannen gefüllt und aufgeladen hat. An den Fußweg in die Stadt, den er zügig zurückgelegt hat, um Martha pünktlich abzuholen. An den Anblick ihrer schlanken Gestalt, wie sie vor das Schultor getreten ist. Die Herbstsonne hat ihr weißes Kleid zum Leuchten gebracht. Wie so oft fragt er sich, womit er ihre Schönheit verdient hat.

Drüben, von St. Katharinen, ertönt ein Glockenschlag. Unwillkürlich verziehen sich seine Mundwinkel zu einem Lächeln. Die ganze Stadt spricht von Kowalski, Rudi und dessen »Wachstumsschmerzen«.

Johann bedient den Bogen wie eine Handsäge. Vor, zurück, vor, zurück. Er wagt nicht, nach unten zu blicken. Martha befindet sich außerhalb seines Blickfeldes. Stur, die Augen geradeaus gerichtet, spielt er Geige. Er tut zumindest so.

»Schau!«

Erleichtert lässt Johann das Instrument sinken. Vor ihm auf dem Boden erhebt sich ein winziges Gebilde aus Flusskieseln. Martha muss sie aus dem Bach gefischt haben. Die Konstruktion ist länglich. Und verfügt über einen Deckel. Mit viel Phantasie hätte man sie für einen Sarg halten können – Kowalskis Sarg?

»Hast du das gemacht oder ich?«, fragt Martha.

»Du«, antwortet Johann.

»Vielleicht.«

Martha nimmt ihm die Geige ab und legt sie ohne ein weiteres Wort zurück in den dunklen Koffer.

Die Luft ist kühler geworden. Zweifelsohne werden die Tage in Türnow kürzer.

□ △ ○

Ein großes Gebäude. Eine Schule, eine Universität. Martha ist richtig, aber weiß nicht, wohin. Keine Zeiten, keine Räume. Ihr Stundenplan ist ihr abhandengekommen. Oder sie hat nie einen besessen.

Sie hastet durch lichte Treppenhäuser und über lange, dunkle Flure. Sie rennt voller Angst, zu spät zu kommen. Doch nirgendwo ein Lehrer, geschweige denn ihre Klasse.

Irgendwann bleibt sie stehen und beginnt zu weinen. In der sicheren Gewissheit, morgen wird es nicht anders sein.

Martha erzählt Wolfgang von ihrem Traum. »Was hat das zu bedeuten?«

Er antwortet: »Ich weiß es nicht, aber ich werde darüber nachdenken.«

□ △ ○

Es ist kurz vor Mitternacht, als Wolfgang und Otto an der halbverfallenen Friedhofsmauer entlangradeln. Ab und an blitzt der Mond hinter den Wolken hervor, ansonsten ist es stockfinster. Eine späte Musik in der Friedhofskapelle. Nicht jeder Auftritt ist ein Wunschkonzert.

Otto hat sich den Kontrabass auf den Rücken geschnallt. Wie ein riesiger Schatten hängt er über ihm.

Fledermäuse kreuzen den dunklen Himmel. Der Ruf einer Eule erklingt. Wolfgang spürt die kühle Nachtluft im Gesicht, während die Reifen seines Fahrrads über den ungepflasterten Weg holpern.

Er denkt an Martha, ihre Zeichnungen und an moderne Malerei. An sein mangelndes Verstehen und an fehlende Verbindungen. Vor seinem inneren Auge erscheint ein großes Gebäude. Eine Schule, eine Universität. Er hat es nie zuvor gesehen.

Wolfgang denkt über neue Wege und alte Wunden nach.

Erschreckt zuckt er zusammen, als Otto unversehens einen lauten Schrei ausstößt. Wie verrückt tritt er plötzlich in die Pedale. Wolfgang versucht zu folgen, ist Ottos aberwitzigem Tempo aber nicht gewachsen. Etwa zweihundert Meter vor ihm kommen Otto und sein Rad quietschend zum Stehen. Der Bass schwankt bedrohlich hin und her.

Wolfgang bremst. »Meine Güte, Otto, bist du von allen guten Geistern verlassen?«

»Im Gegenteil«, versetzt Otto schnaufend, »eben noch hat einer von ihnen auf meinen Schultern gesessen!« Er zeigt nach hinten, auf den dunklen Weg, den sie gekommen sind. »Von der Friedhofsmauer hat er sich abgestoßen und ist geradewegs auf meinen Buckel gesprungen.«

Wolfgang verdreht die Augen. »Bitte, Otto.«

»Nein, wirklich. Es ist der Geist des alten Kowalski gewesen. Ich bin mir ganz sicher.«

»Und was hast du mit ihm gemacht?«

Verständnislos starrt Otto seinen Freund an. »Was glaubst du denn? Abgeworfen, natürlich!«

□ △ ○

Weihnachten. Es schneit in dicken Flocken. Otto und die Kapelle spielen die Christmette. Die Kirche ist nur halb voll. Kriegswinter 1916/1917.

Am nächsten Morgen gibt Otto seinen Männern frei, bis ins neue Jahr. Sie machen sich auf den Weg zum Bahnhof, um nach Hause, zu ihren Familien zu fahren. Nur Wolfgang bleibt. Seine Familie sei hier, sagt er.

Die Dämmerung bricht früh herein. Elfriede, Otto, Martha und Wolfgang setzen sich an den festlich gedeckten Tisch. Die Fensterscheiben sind von Eiskristallen bedeckt.

Die Suppe wärmt ihre Mägen. Elfriede serviert die Weihnachtsgans, Otto tranchiert. Die Feinarbeit besorgt jeder auf seinem Teller, wo Rotkohl und Klöße warten. Danach wird eine Essenspause eingelegt.

Friede auf Erden. Auch den Bäuchen.

Wie immer weigert Otto sich, ein Weihnachtslied zu intonieren. »Wer das ganze Jahr lang Musik macht, darf sich zumindest an den Festtagen eine Pause gönnen! Das ist mein Geschenk an mich selber.«

Martha bietet an, etwas auf der Geige vorzutragen.

»Was denn?«, fragt Otto, nicht unfreundlich. Eine erwartungsvolle Stille senkt sich über den Raum. Niemand aus der Familie hat Martha bislang spielen hören.

»*Süßer die Glocken nie klingen*«, kündigt sie an.

Es klappt nicht. Jedenfalls nicht im herkömmlichen Sinne. Die Töne, die Martha erzeugt, haben nicht im Entferntesten mit dem Weihnachtslied zu tun. Dennoch meint Otto, irgendwo aus dem Dunkel eine Kirche aufsteigen zu sehen. Das Dach ein Dreieck, windschief und alt. Der Turm, ein langgezogenes Rechteck, ragt trotzig in den Himmel. Im Dachstuhl schwingt der rostige Klöppel der Glocke hin und her – rund, kugelig – und schickt die Klänge weit übers Land. Irritiert runzelt er die Stirn: Unfug! Phantastereien eines weinseligen Schädels!

Nachdem Martha ihren Vortrag beendet hat, setzt sie die Geige ab. »Und?«, fragt sie.

Wolfgang lächelt.

Otto schweigt.

Elfriede schlägt vor, den Nachtisch im guten Zimmer zu nehmen. Erleichtert steht Otto auf. Es gibt Kirschen mit Klimpern.

Später streicht er sich zufrieden über den gutgefüllten Bauch. »Deine Zeit am Lyzeum neigt sich dem Ende zu, Marthchen. Weißt du schon, was du danach machen möchtest?«

Anmutig antwortet Martha: »Ich werde das Lehrerinnenseminar besuchen!«

□ △ ○

»Du wirst was?«

»Ich werde das Lehrerinnenseminar besuchen.«

»Du hast nie zuvor geäußert, Lehrerin werden zu wollen.«

»Will ich auch nicht. Ich will nur aufs Seminar.«

Verstohlen schaut Otto zu Elfriede. Hat sie davon gewusst? Doch Elfriedes Züge liegen im Schatten.

Otto schätzt seine Tochter. Auch wenn er sie nicht immer versteht. Er respektiert ihre Wünsche. Geige spielen ohne Unterricht. Aufs Seminar gehen, ohne Lehrerin werden zu wollen.

Andererseits ist er nicht geneigt, einfach klein beizugeben. »Weißt du, was das Lehrerinnenzölibat ist?«

»Ja. Ich sehe da kein Problem.«

Otto denkt an Johann, den hinkenden Goliath. Und an sein Marthchen. Und den Stand ihrer … Freundschaft.

Er räuspert sich. »Natürlich, du hast recht. Selbstverständlich ist da kein Problem.«

□ △ ○

Türnow hat ein Schloss, aber keine Ritter. Besser gesagt, die Stadt besitzt eine Ordensburg mit drei Türmen. Sie dient einer überschaubaren Anzahl Jungfrauen als vorübergehendes Zuhause.

Seit Ende des Jahrhunderts wird das alte Gemäuer als Lehrerinnenseminar genutzt. Martha zählt bei ihrem Eintritt zu einem der jüngsten der zukünftigen *Fräuleins.* Zu ihrem Erstaunen fühlt sie sich wohl unter den Frauen.

Zwei Dinge unterscheiden sie von den übrigen Lehramtsanwärterinnen. Zum einen ist sie Heimschläferin. Otto hat darauf bestanden. »Mein Marthchen geht nur, wenn sie bleibt«, hat er gesagt. Zum anderen wird Martha gerettet werden.

Von einem Ritter.

»Ich habe über deinen Traum nachgedacht«, hat Wolfgang gesagt und sie mit seinen klugen Augen angeblickt. »Ich habe einen Plan.«

Die Ausbildung am Lehrerinnenseminar ist Teil des Plans. Marthas Rettung ebenfalls. Niemand weiß davon. Mit Ausnahme von Wolfgang und Martha. Und Heinzchen natürlich.

Vor einem Engel lässt sich nichts verbergen.

New York

(2001)

Fünfundvierzig Millionen Dollar!

Das Tagebuch ist für fünfundvierzig Millionen Dollar versteigert worden. Ein anonymer Bieter via Telefon. Zu schade. Ich hätte gern gesehen, in wessen Hände Marthas Aufzeichnungen gelangen.

Frisch geduscht, in den weißen, flauschigen Hotelbademantel gewickelt, lasse ich mich aufs Bett fallen.

Als der kleine braune Hammer des Auktionators vorhin aufs Pult geknallt ist, war die Sensation perfekt. Applaus brandete auf. Der Anwalt, der inzwischen ebenfalls eingetroffen war, streckte die Hand aus, um mir zu gratulieren. Er lächelte und sagte etwas. Ich muss ziemlich verwirrt geguckt haben, denn er wiederholte seine Worte. Endlich kapierte ich, dass er mich zum Mittagessen einlud – Betäubung, schätze ich, beschreibt meinen Zustand am besten.

Wir gingen zu Fuß zu einem nahe gelegenen, wie ich fand, ziemlich noblen Italiener. Während wir die Bestellung aufgaben, fiel mir plötzlich meine Großmutter ein, die sich zu ihrem siebzigsten Geburtstag ein Essen in einem italienischen Restaurant gewünscht hatte – der erste Pizzeriabesuch ihres Lebens.

Wir waren noch nicht ganz durch die Tür, als Oma stehen blieb, die Nase rümpfte und sagte: »Kommt, wir suchen uns ein anderes Lokal, hier riecht's mir zu sehr nach Knoblauch!«

Deutschland nach dem Zweiten Weltkrieg. Ende der Vierziger, Anfang der Fünfziger. Einheimische und Flüchtlinge, von denen sich viele zumindest in einem Punkt einig sind: Was fremd ist, kann nicht gut sein. Eine Sichtweise, die Oma niemals abgelegt hat – obwohl sie in ihrer neuen Heimat selbst als Fremde galt.

Ich vereinbarte mit dem Anwalt, dass er den gesamten Papierkram abwickeln sollte: das vom Gericht festgesetzte Drittel, also insgesamt fünfzehn Millionen Dollar, an die Erben abführen und anschließend sein Honorar abziehen. Den Rest würde er auf ein Konto in Deutschland überweisen. Genauer gesagt, auf das Konto meines Vaters, schließlich ist er der Finanzexperte – und direkte Erbe. Was, zum Teufel, hätten dreißig Millionen Dollar auf einem studentischen Girokonto der *Kreissparkasse* verloren?

Nach dem Essen nahm ich ein Taxi zum Hotel. Immer noch hatte ich dieselben Klamotten an wie bei meinem Abflug in Deutschland. Inzwischen sehnte ich mich nach nichts mehr als einer Dusche.

Ich krieche unter die Decke und lösche das Licht. Es ist automatisch angegangen, kaum dass ich die Zimmerkarte in den Schlitz neben der Tür gesteckt hatte. Ich stopfe mir ein Kissen in den Rücken. Aus der ungewohnten Höhe des *Queensize*-Bettes – so nennt man das Ding laut Buchungsbestätigung – schaue ich hinaus. Die Fensterscheiben der gegenüberliegenden Gebäude funkeln im Licht eines New Yorker Spätnachmittags.

Von Anfang an ist mir klar gewesen, dass Marthas Geschichte, die meiner verschollenen Urgroßmutter, einen potentiellen Käufer nur am Rande interessieren könnte. Oder möglicherweise gar nicht. Dass er nur das andere haben wollte. Das vermeintlich Eigentliche.

Sie alle haben sich in ihrem Tagebuch verewigt. Jeder auf seine ganz spezielle, besondere Art. Allein deshalb wäre es schon ein Vermögen wert. Doch das Sensationelle ist – es sind ausschließlich *first takes*. Sämtlich ohne Vorarbeiten oder Entwürfe entstanden. Mit lockerer

Hand aufs Papier geworfen. Spontan und unmittelbar. Und anschließend nicht mehr bearbeitet.

Wir sehen mit den Augen der Meister.

Das Hotel *Vier Jahreszeiten* heißt hier übrigens *Four Seasons Hotel* und scheint in den USA genauso zur Spitzenkategorie zu gehören wie in Deutschland.

Was soll ich sagen? Mein Vater, unsere Familie, ich: Wir sind über Nacht reich geworden – dank Martha. Und doch liegt ein Schatten über jenem unverhofften finanziellen Segen.

Ich habe sie verkauft. Sie alle.

Ich will nicht päpstlicher sein als der Papst, aber: Otto, Elfriede, Martha, Johann – kaum bin ich ihnen begegnet, habe ich sie schon wieder aus der Hand gegeben.

Wofür? Für Geld.

Das Einzige, das für mich spricht, ist, ich habe nicht alles weggegeben. Ein wichtiger Teil der Aufzeichnungen befindet sich immer noch in meinem Besitz. Die Briefe. Wolfgangs Briefe.

Sie habe ich behalten.

Samt ihrem erstaunlichen Inhalt.

Oma hieß mit Vornamen eigentlich Hedwig, wurde von ihren Freundinnen und Bekannten aber immer nur Hedi genannt. Nach ihrem Tod bestätigte sich, dass meine Schwester am meisten über sie wusste.

Am meisten von dem wenigen.

»Ihr habt doch oft miteinander geredet, Oma und du. Was hat sie dir erzählt?«

Meine Schwester verzieht das Gesicht. »Klar, haben wir geredet, aber Oma hat nicht viel gesagt. Es sind vor allem Anekdoten gewesen, mehr allgemeine Erinnerungen an das Leben in Pommern. Nichts Besonderes. Sobald ich nach dem Krieg oder ihrer Flucht gefragt habe, ist sie verstummt. Du warst dabei, als sie dieses eine Mal von der *Gustloff* gesprochen hat. Aber hat sie uns damals wirklich alles erzählt?«

Der Untergang der *Wilhelm Gustloff*. Eine der größten Katastrophen in der Schifffahrtsgeschichte. Eine der größten Katastrophen in Omas Lebensgeschichte. Aber ob sie uns alles erzählt hat? Ich habe keine Ahnung. Für mich ist immer meine Schwester die Hüterin von Omas Erinnerungen gewesen. Aber sie hat recht – es klafft eine Riesenlücke. Man könnte denken, Omas Leben habe erst in den Fünfzigern und Sechzigern seinen Anfang genommen. Nachkriegsdeutschland. Wirtschaftswunder. Peter Alexander und Anneliese Rothenberger. Wenn Oma einmal erzählt hat, bezog sie sich vor allem auf diese Zeit.

Doch was ist mit der davor? Mit ihrer Geburt und insbesondere ihrer Herkunft? Weshalb hat Martha ihrer Tochter ein Leben lang den Namen ihres Vaters verschwiegen? Und was ist mit Hedi selber? Warum hat auch sie sich nur so zurückhaltend geäußert – alles Kriegstraumata?

Mein Vater scheidet als Quelle aus; er weiß zu wenig. Im Westen geboren und aufgewachsen, hat er keine Erinnerungen an damals und dort. Als Zahlenmensch schätzt er das Berechenbare. Das Unbekannte hat ihn nie interessiert. Er behauptet, mit beiden Beinen im Hier und Jetzt zu stehen. Eine Position, die ich für meinen Teil in den zurückliegenden Monaten zunehmend aufgegeben habe. Die Vergangenheit ist für mich zur Gegenwart geworden – und eröffnet mir vielleicht eine

Zukunft, die anders ist als die, die mir vorgezeichnet schien.

Nach dem Zivildienst bin ich, wie fast alle meine Freunde, zum Studium nach Köln gegangen. Ich habe mich für Germanistik auf Lehramt eingeschrieben – wie fünfundzwanzig Jahre zuvor meine Mutter. Etwas Besseres ist mir nicht eingefallen. Irgendwie habe ich schon immer gerne gelesen und mochte die Idee, später einmal mein Geld mit einem Hobby zu verdienen. Allerdings hatte ich zu diesem Zeitpunkt noch nichts von Mittelhochdeutsch oder Walther von der Vogelweide gehört.

Schon zu Hause war ich sehr an Mädchen interessiert, hatte mich aber nie getraut, einem meine Zuneigung zu gestehen – ich verfüge über eine Menge Zuneigung.

In Köln änderte sich das nicht, nur dass ich jetzt überhaupt nicht mehr zur Ruhe kam. Tag für Tag, auf dem Weg zur Uni, im Volksgarten, im Hörsaal oder abends in den Kneipen – andauernd verlor ich mich in irgendwelchen Tagträumen, wenn wieder einmal ein besonders hübsches Mädchen achtlos an mir vorbeigelaufen war. Ich versuchte, mein Gefühlschaos in Songtexten und Gedichten zu verarbeiten. Das Ergebnis war niederschmetternd. Ich zeigte mein Geschreibsel niemandem. Vor meinen Freunden hätte ich mich lächerlich gemacht, und eine Freundin gab es nicht; jedenfalls nicht außerhalb meiner Vorstellung.

So lebte und studierte ich etwa acht oder neun Semester vor mich hin, bis eines Abends das Telefon in meiner Ehrenfelder Wohnung klingelte und mein Vater mit ernster Stimme sagte: »Oma ist gestorben!«

Ich fuhr sofort nach Hause. Meine Schwester kam aus der Schweiz angereist, und das Haus hüllte sich in Trauer. An den Begräbnisgottesdienst und die anschließende Beerdigung erinnere ich mich kaum. Ich weiß nur noch, dass es regnete, was ich als ausgesprochen passend empfand.

Da die Semesterferien unmittelbar vor der Tür standen, lohnte es sich nicht, nach Köln zurückzukehren. Für meine Schwester lohnte es sich natürlich schon, in die Schweiz zurückzufahren, um weitere Fleißkärtchen … Nein, das ist gemein. Sie hat ihre Stelle am Spital und musste zurück, mir hingegen stand lediglich ein weiterer gammeliger Sommer bevor. Wie schon im Jahr davor und im Jahr davor auch.

Da meine Eltern einen Urlaub gebucht hatten, den sie nicht verschieben wollten – schließlich kann Mama als Lehrerin nur in den Ferien verreisen –, blieb ich allein im Haus zurück. In unserem prima weißen Würfel.

Mein Vater erteilte mir vor der Abreise den ehrenhaften Auftrag, schon einmal Omas Nachlass zu sichten und die Dinge zu entsorgen, die ich für überflüssig hielt. Wie gesagt: Er hing zwar an seiner Mutter, aber nicht an der Vergangenheit. Von daher interessierte ihn der alte Krempel nicht.

Oma hat nie etwas weggeworfen. Ich weiß nicht, ob alle alten Menschen so sind. Gleichzeitig hat sie nur selten etwas gekauft. Anscheinend war sie mit dem zufrieden, was sie besaß. Ohnehin ging bei ihr kaum etwas kaputt. Irgendwie habe ich das Gefühl, die alten Sachen halten länger.

Ich fing im Keller an, wo Oma im Regal – neben zahllosen anderen Dingen – einen Koffer, zwei Reisetaschen und einen fleckigen braunen Rucksack aufbewahrte, der wahrscheinlich noch aus der Zeit vor dem Zweiten Weltkrieg stammte, so mitgenommen, wie er aussah. Ich wollte zwei Fliegen mit einer Klappe schlagen und den unbrauchbaren Teil von Omas Zeugs in ihren alten Gepäckstücken verstauen, um dann alles zusammen wegzuschmeißen. Sicherheitshalber kontrollierte ich vorher, ob Koffer, Taschen und Rucksack leer waren.

Sie waren es, mit einer Ausnahme.

Als ich den Rucksack umstülpte, fiel mir sein ungewöhnlich dicker Boden auf. Ich sah genauer hin und bemerkte ein nahezu unsichtbares Reißverschlussfach. Offenbar war darin etwas verstaut worden. Der Reißverschluss klemmte, doch nachdem ich ein wenig geruckelt und gezerrt hatte, ging er schließlich auf.

Eine Kladde kam zum Vorschein.

Eine dicke schwarze, abgegriffene Kladde.

Von außen keine Beschriftung, kein Name, nichts. Doch als ich das Heft aufschlug, sprang mir eine Widmung in männlicher Handschrift entgegen: *Meiner geliebten zukünftigen Studentin Martha Wetzlaff!* Fremd und vertraut zugleich blickte mich der Name meiner Urgroßmutter an. Jemand musste ihr das Heft geschenkt haben, und sie hatte das Geschenk nicht nur angenommen, sondern auch benutzt, denn als ich weiterblätterte, starrte ich auf einen Wust engbeschriebener Notenblätter. Zehn, fünfzig, hundert, zweihundert Seiten. Kein liniertes oder kariertes Papier – nein, Notenblätter! Allerdings nicht mit Musiknoten bedeckt, sondern in ganz normaler, feminin anmutender Schrift beschrieben. Klein, nah beieinander, dichtgedrängt – als ob die Urheberin der Notizen möglichst platzsparend hätte arbeiten wollen.

Immer wieder wurde das Geschriebene unterbrochen, von Skizzen, Zeichnungen und Studien. Aber es fanden sich auch fertige Porträts, die jeweils eine ganze Seite einnahmen. Ich blätterte in der Kladde herum und stieß auf ein Bild mit dem seltsamen Titel *Tanzstellung 17 B.* Darüber stand eine handschriftliche Anmerkung: *Habe Sie beim Tanzen beobachtet. Verzeihung! Die ganze Zeit das Gefühl gehabt, etwas guckt Ihnen über die Schulter. Erst gesehen, als ich die Augen geschlossen habe.*

Gezeichnet: *Paul Klee*.

Ich bin alles andere als ein Kunstexperte, doch selbst ich weiß, wer Paul Klee ist. Anscheinend hatte sich hier jemand einen Scherz erlaubt und die eigene ungelenke Zeichnung mit Klees Namen unterschrieben.

Ich blätterte in dem Heft vor und zurück und stieß auf weitere Bilder und Signaturen. Ein Künstler, der ausschließlich mit abstrakten Zeichnungen vertreten war, verwendete einen einzelnen Buchstaben als Unterschrift – ein schwungvolles K. Motive wie die, die er zu Papier gebracht hatte – Dreiecke, Linien, Kreise –, finden sich heutzutage auf unzähligen Postern und Plakaten. Ich ging hoch, setzte mich an Mamas Rechner, an dem sie ihren Unterricht vorbereitet, und prüfte die Signatur im Internet nach. Das K stand für Kandinsky. Noch so ein Spaßvogel. Wer auch immer sich in Marthas Notenheft verewigt hatte, verfügte über eine seltsame Art von Humor.

Ein anderer Maler war gleich auf mehreren Seiten vertreten. Er hatte Puppen und Masken ersonnen und sie in bunten Farben schraffiert. Einige der Figuren erinnerten an Tänzerinnen, andere an Harlekine. Irgendwie schien in den merkwürdigen Zeichnungen der Widerspruch zwischen Bewegung und Starre aufgehoben. Neben eine der Skizzen hatte Martha, wahrscheinlich als Gedächtnisstütze, in fein säuberlicher Handschrift vermerkt: *bei Meister Oskar bedanken!* Wieder zog ich das Internet zu Rate. Diesmal gab ich die Suchbegriffe *Oskar* und *Tänzerin* ein. Gleich der erste Treffer in der Liste zeigte ein Bild mit dem Titel *Die Tänzerin* von Oskar Schlemmer. Ich erkannte den Stil – er entsprach vollkommen dem in Marthas Heft. Wie sich herausstellte, wurde Oskar Schlemmer in der Kunstwelt als »großer Unbekannter« gehandelt; seit vielen Jahren fanden kaum Ausstellungen seiner Arbeiten statt. Der Grund: Die Erben hielten den Hauptteil seines Werkes unter Verschluss.

Konnte er tatsächlich der Urheber der Zeichnungen in meinen Händen sein? War es, warum auch immer, möglich, dass es sich dabei um Originale handelte? Und falls ja – mir stockte der Atem –, wären dann auch das Bild von Klee und die Kandinsky-Skizzen echt?

Wie wahrscheinlich war es, Bilder und Zeichnungen einiger der berühmtesten Maler des zwanzigsten Jahrhunderts im Notizbuch meiner Urgroßmutter zu finden? Hatte sie die Künstler möglicherweise näher gekannt – ich biss mir auf die Unterlippe – oder sogar mit einem von ihnen eine Affäre gehabt? Lüftete sich hier unvermutet der Schleier um Hedis Herkunft?

Mir wurde schwindelig, ich begann nachzurechnen. Hedi ist neunzehnhundertvierundzwanzig geboren. Das Internet behauptete erstaunlicherweise, alle drei Künstler lebten zu jener Zeit am selben Ort, nämlich in Weimar, und alle seien verheiratet gewesen. Vermutlich hätte damals ein Kind aus einer Affäre einen handfesten Skandal ausgelöst. Aber sollte ich wirklich ein indirekter – und vor allem – unehelicher Nachkomme von beispielsweise Paul Klee sein?

Plötzlich schienen sich die Schlemmer'schen Gliederpuppen vor mir auf dem Papier zu drehen, und ich musste mich an der Kante von Mamas Schreibtisch festhalten.

Die handgeschriebenen Sätze über dem Bild mit dem Titel *Tanzstellung 17 B* beschreiben exakt das Gefühl, das mich seitdem nicht mehr verlassen hat – es ist, als würde ich ihnen über die Schulter blicken: Martha, Elfriede und Otto. Wolfgang und Johann. Namen, die ich bis dahin, wenn überhaupt, nur im Vorbeigehen gehört hatte, wenn Oma in einer seltenen Anwandlung einmal von »ganz früher« gesprochen hat.

Doch jetzt schien es, als ob diese Menschen – einschließlich einiger berühmter Künstler – sich an Omas Schweigen vorbeidrängelten, sich energisch ihren Weg durch die Zeit bahnten. Mit einem Mal bekamen sie Gesichter und Stimmen, äußerten Gefühle und Gedanken.

Sie sprachen zu mir.

Vor meinem inneren Auge entstand eine ganze Welt. Mit dem Unterschied, dass ich es diesmal nicht mit der Erfindung eines Schriftstellers oder Stückeschreibers zu tun hatte wie im Studium, sondern eine wahre Geschichte in Händen hielt. Otto, Martha, Elfriede. Klee, Kandinsky, Schlemmer – sie alle haben gelebt. An Orten, die es wirklich gab und die größtenteils immer noch existieren. Eine Geschichte von echten Menschen, die geatmet, geliebt und gestritten haben.

Ich begriff, auf den Schultern meines Vaters zu stehen, der wiederum auf denen Omas stand, während sich ihre Füße auf Marthas Schultern befanden. Ein wackeliges menschliches Gebilde, in einem Jahrhundert, das ohnehin niemand als stabil bezeichnet hätte.

Ich bin beim Aufräumen nicht weiter gekommen als bis in den Keller. Genauer gesagt, bis zu der Kladde im Rucksack. In den folgenden Tagen und Nächten verließ ich das Haus nicht. Ich lebte von Tiefkühlpizza und Mezzo Mix. Das Notenheft hatte ich nach einem halben Tag durch, aber kaum war ich auf der letzten Seite angelangt, fing ich wieder von vorne an. Ich schrieb mir Namen raus, Daten, Orte. Erneut setzte ich mich vor Mamas Rechner. Ich fing an zu recherchieren und hörte nicht mehr auf.

Ohne jeden Zweifel fand ich einiges über die Geschichte Pommerns heraus, über die Topographie und Geographie von Türnow. Ich las über den legendären pommerschen Humor. Mehrere Artikel beschäftigten sich mit dem Thema Aberglaube. Ich erfuhr ebenfalls etwas über die Entstehung der abstrakten Malerei. Über deren wichtigste Vertreter. Doch die entscheidende Antwort erhielt ich nicht – wie gelangte Marthas Kladde mit den Notizen, von ihrer Tochter scheinbar unbemerkt, in deren Rucksack? Und wieso brachen diese auf der letzten Seite, mitten im Satz, ab? Was ist aus Martha geworden? Wieso ist sie spurlos verschwunden?

Oma konnte ich nicht mehr fragen. Sie war tot.

Intensiv grübelte ich darüber nach, ob sie nicht doch einmal einen Hinweis auf Marthas Verbleib gegeben hatte. Aber das Einzige, was in meinem Inneren erklang, war ihre Stimme, die – wenn meine Schwester für ihren Geschmack zu bohrend nachfragte – sagte: *Red nicht so viel, sonst wird dir das Hemd zu kurz!*

Eine von Omas Lieblingsredewendungen.

Resigniert zuckte ich mit den Achseln. Egal, wohin ich blickte: Oma schien vor allem zu bestätigen, dass es sich bei den Pommern – oder sagte man Pommeranern? – um seltsame Menschen mit einer seltsamen Sprache handelte. Und mit dieser ernüchternden Erkenntnis stand ich gut ein halbes Jahrhundert nach Marthas Verschwinden vor einem Rätsel, dessen Lösung mir aller Wahrscheinlichkeit nach für immer verborgen bleiben würde.

Nach einer Woche Klausur rief ich schließlich einen Freund an, der als Altenpfleger arbeitet. Fragte ihn, ob ich mit ein paar von den Heimbewohnern sprechen dürfe. Es stellte sich als vollkommen problemlos heraus. Besucher sind in einem Altenheim offenbar immer willkommen.

Mit vor Aufregung feuchten Händen setzte ich mich zu den alten Männern und Frauen und erkundigte mich vorsichtig nach ihrer Herkunft. Das Ergebnis war ebenso überraschend wie überwältigend.

Es waren größtenteils Flüchtlinge und Vertriebene, denen ich gegenübersaß. Zeitzeugen, die über ein exklusives Wissen verfügen. Ein Wissen über eine andere Welt. Über Sitten, Gebräuche und Gewohnheiten, die sie geformt und zu dem gemacht haben, was sie heute sind. Faltig, runzelig, in ihren Rollstühlen vornübergebeugt. Zu den Menschen, die unsere Eltern, Großeltern und Urgroßeltern sind. Die *uns* geformt und zu dem gemacht haben, was *wir* heute sind.

Es ist kein verlorenes Wissen, sondern die ganze Zeit da. Doch die Beteiligten sprechen nicht darüber. Trotzdem wirkt es permanent in die Gegenwart hinein – über Erziehung, Vererbung und Sozialisation. Aber sein

Ursprung, seine Herkunft, seine Quellen drohen auszusterben. Im Wortsinn.

Nach ihrer Rückkehr aus dem Urlaub erzählte ich meinen Eltern, dass ich in Omas Nachlass ein altes Tagebuch gefunden hatte, das ich für mich persönlich auswerten und möglicherweise in eine literarische Form bringen wollte. Erst danach würde ich es ihnen zeigen.

Sie ließen mich, wie sie mich immer gelassen haben. Fanden meine Idee sicher seltsam, hakten sie aber unter der Überschrift *Trauerarbeit* ab. Ich bin ihnen, glaube ich, im Gegensatz zu meiner Schwester, schon immer ein wenig seltsam vorgekommen.

Ich legte in meinem Germanistikstudium eine Pause ein und bezog vorübergehend mein altes Kinderzimmer. Dann begann ich zu schreiben. Zu beschreiben, zuzuschreiben – Marthas Kindheit und Jugend. So wie ich sie mir vorstellte. In meiner Phantasie. In Türnow. Im *großen* Haus. Ich wollte ihrer Geschichte eine Form geben, sie *abrunden*.

Es kam der Tag, an dem ich mit meinen erdachten Fakten – ich mag den Widerspruch – fertig war. Ich druckte den Text aus, lochte die ungefähr fünfzig Seiten und steckte sie auf einen Heftstreifen. Dann nahm ich Marthas Tagebuch und zeigte es meinen Eltern. Mein Geschriebenes behielt ich für mich. Irgendwie fand ich es zu *persönlich*.

Sie haben den gleichen Hintergrund wie ich. Als meine Eltern die Zeichnungen und Porträts sahen, die möglicherweise von weltberühmten Künstlern stammten, wurde ihnen, glaube ich, ähnlich schwindelig wie mir.

Beiden.

Offenbar ein Familienleiden.

Meine Überlegungen im Hinblick auf den biologischen Vater Hedis teilte ich mit ihnen nicht. Sie schienen mir zu weit hergeholt.

Meine Mutter, die vom Naturell her energischer ist als mein Vater und ich, rief am nächsten Tag an der Kölner Uni an und ließ sich mehrfach verbinden. Schließlich landete sie bei einem Professor für Kunstgeschichte und verabredete mit ihm einen Termin. Wir fuhren zu dritt hin, und der Rest ist, wie man so schön sagt, Geschichte.

Ich muss eingeschlafen sein. Das Klingeln des Handys auf dem Nachttisch lässt mich hochschrecken. Noch nicht ganz wach, werfe ich einen Blick aufs Display. Elf Uhr abends. Am Nachmittag habe ich eine SMS an meine Eltern geschickt. Die Begeisterung über das Auktionsergebnis war riesig groß, ansonsten lief zu Hause alles ganz normal. Wer also ruft mich um diese Zeit in New York an?

»Hallo?«, melde ich mich vorsichtig.

»Guten Tag. Besser gesagt, guten Abend. Bitte entschuldigen Sie die späte Störung.«

Eine weibliche Stimme, die erstaunlicherweise Deutsch spricht, wenn auch mit amerikanischem Akzent. Ich überlege, ob es sich um einen Service von Sotheby's handelt. Die Nachfrage einer besorgten Assistentin, wie ich den Schock, plötzlich Millionär zu sein, verkraftet habe. Ob man etwas für mich tun könne, damit ich nicht die Bodenhaftung verliere. Denn genau so klingt die Stimme – geschäftsmäßig.

Dann jedoch stellt sich heraus, dass es zwar um das Tagebuch geht, allerdings ganz anders, als ich dachte.

»Ich rufe im Auftrag meiner Arbeitgeberin an«, sagt

die Frauenstimme, der trotz aller Nüchternheit etwas Besonderes innewohnt. Ich kann es nicht genau beschreiben.

»Haben Sie morgen Abend schon etwas vor? Wir wären erfreut, Sie hier bei uns, im *Marriott*, zum Dinner begrüßen zu dürfen.«

»Ähem, wer ist Ihre Arbeitgeberin, wenn ich fragen darf?«

»Nun, es handelt sich bei ihr um eine sehr kultivierte ältere Dame, die heute Nachmittag einkaufen gewesen ist. Sie hat eine Menge Geld ausgegeben. Um präzise zu sein, fünfundvierzig Millionen Dollar. Allerdings ist sie nicht selber in Erscheinung getreten. Das beabsichtigt sie nun zu ändern. Sie wäre entzückt, sich Ihnen persönlich vorstellen zu dürfen.« Die Stimme am anderen Ende der Leitung macht eine kurze Pause. »In anderen Worten – sie möchte Sie kennenlernen.«

Weimar

(1919–1924)

Zum Jahresbeginn 1919 beläuft sich der Wert eines US-Dollars auf 7,97 Papiermark.

Am 09. März 1919 findet im neugegründeten Freistaat Sachsen-Weimar-Eisenach die erste Landtagswahl statt. Sozialdemokraten und Deutsche Demokraten bilden eine provisorische Koalitionsregierung.

Nach Zusammenlegung der Großherzoglichen Kunstgewerbeschule und der Großherzoglichen Hochschule für bildende Kunst nimmt im April 1919 das Staatliche Bauhaus in Weimar seine Arbeit auf. Es gibt keine offizielle Eröffnung. 84 weibliche und 79 männliche Studenten beginnen das erste Semester.

□ △ ○

»Bleib stehen!«

Bereits der ersten Aufforderung Ellas an Martha ist nicht leicht Folge zu leisten.

Martha ist in Bewegung geraten.

Der Schwung der Lokomotive. Das rhythmische Rattern der Räder während der Fahrt. Bäume, Häuser, Landschaften, die am Zugfenster vorbeiflitzen – all das steckt ihr in den Knochen, pulsiert in ihrem Blut.

Abgesehen davon, weiß sie nicht, weshalb sie stehen bleiben soll.

»Beweg dich nicht!«

Von Anfang an erweist Ella sich als fordernde Freundin. Der Altersunterschied zwischen ihnen beträgt sechzehn Jahre.

Es ist nicht der einzige Unterschied.

Unbewegt, wie ein Signalmast, steht Ella auf dem Bahnsteig in Weimar, die Kamera vor der Brust; das

Objektiv ziehharmonikaartig ausgeklappt, als wollte es sein Opfer verschlingen und nicht einfach ablichten.

»Warum soll ich stehen bleiben?«

»Ich fotografiere die Ankunft einer neuen Zeit.«

»Ich komme nicht aus der neuen Zeit, ich komme aus der alten. Aus dem Land am Meer.«

»Hast du das Meer gesehen?«

»Nein. Jedenfalls nicht in Wirklichkeit.«

Martha denkt an Lehrer Pauels und sein verlorenes Bein. An die große Karte im Klassenzimmer. Mit der Spitze seines Gehstocks hat er auf einen Punkt rechts oben gedeutet, um ihnen zu zeigen, wo sie leben.

Das Meer liegt unendlich nah.

Zu Hause hat sie Otto gefragt, weshalb sie nie dort hinfahren.

»Wären wir nicht Musiker, wären wir Bauern«, ist seine Antwort gewesen.

Martha hat verstanden. Hinterpommern ist keine Seefahrernation.

»Wer das Meer nicht kennt, ist nicht von dort. Sieh dich an!«, ruft Ella.

»Was ist mit mir?« Martha blickt an sich herab. Sie hat ihr gutes braunes Kleid extra für die Reise aufgearbeitet. Neue, schimmernde Knöpfe. Einige unsichtbare Flicken. Nun ja, beinah unsichtbar.

»Du bist allein. Du bist eine Frau. Du reist ohne Begleitung. Also bist du die neue Zeit!«

Martha mustert sie misstrauisch. »Ich dachte, nur Männer sind Fotografen.«

Ella lacht. Die Kamera wackelt. Ihr erstes Bild von Martha sollte unscharf sein. »Mein Vater ist Fotograf. Aber genau wie du bin auch ich die neue Zeit!«

amazon.de

Ein Gruß von Hermine Brandstetter:

Liebe Ingrid, und das ist ein Roman in dems unter anderen ums Bauhaus geht. Was auch sehr interessant ist. Busserl, Hermine Von: Hermine Brandstetter

Grußnachricht zu **Wenn Martha tanzt**

□ △ ○

Als Louis Held nach Weimar kommt, ahnt er nicht, dass er bereits zwei Jahre später Vater einer kleinen Tochter ist.

Ella wird 1884 geboren.

Ebenso wenig sieht er voraus, dass es nicht allzu lange braucht, bis er zum Großherzoglichen Fotografen ernannt wird.

Seit Jahrhunderten schon liegt das Zwergfürstentum im Dornröschenschlaf politischer Bedeutungslosigkeit. Stattdessen sind am Hof die schönen Künste gediehen. Den jeweiligen Herrschern und Herrscherinnen ist es gelungen, mittels Theater, Literatur und bildender Kunst die festgefügte ständische Ordnung aufzulockern. Hofstaat, Beamte und Bürger sind einander näher gerückt. Mitten unter ihnen – Louis Held.

Doch sein Glück ist nicht von langer Dauer. 1905 lässt Großherzog Wilhelm Ernst ihn zu sich rufen, ohrfeigt ihn vor dem versammelten Hofstaat und schlägt ihn mit der Peitsche.

Was ist passiert?

Louis, der renommierte Fotokünstler, hat die nach nur kurzer Ehe verstorbene Großherzogin Caroline auf dem Totenbett abgelichtet – im Auftrag ihres trauernden Gatten.

Allerdings schließt der Auftrag nicht die Weitergabe der Aufnahmen an die Berliner Presse ein. Aller Anfang ist schwer – der Bildjournalismus steckt noch in den Kinderschuhen.

In den folgenden Jahren arbeitet Louis erfolgreich in seinem Atelier in der Marienstraße. Immer an seiner

Seite – seine Tochter Ella. Bereits mit sechzehn führt sie eigene Aufträge durch, aber die Abzüge ihrer Arbeiten werden weiter mit *Louis Held* gekennzeichnet. Sicher ist sicher; manch Talent muss im Verborgenen reifen.

1918, ein Jahr vor ihrer Begegnung mit Martha, erwirbt Ella nun auch offiziell als erste Frau in Thüringen den Meistertitel als Fotografin.

Louis ist stolz auf seine Tochter, Ella stolz auf ihre Leistung. Nur die braven Bürger Weimars argwöhnen – eine Frau als Fotografin? Wo soll das hinführen?

□ △ ○

»Kannst du mich hinführen?« Marthas Worte werden vom Fauchen der anfahrenden Dampflokomotive verweht.

»Wie bitte?«, fragt Ella.

»Ich will hier eine Ausbildung machen«, wiederholt Martha laut, »zeigst du mir, wo die Kunstschule *Bauhaus* ist?«

Ella mustert sie mit einem seltsamen Gesichtsausdruck. »Wie heißt du?«

»Martha. Martha Wetzlaff.«

»Ich bin Ella. Ella Held. Du willst am Bauhaus studieren, Martha? Ich sage dir etwas – du stehst wirklich für die Ankunft einer neuen Zeit!«

□ △ ○

Ella führt und führt doch nicht.

»Wenn du magst, kannst du dich bei mir frisch machen. Du musst müde sein von der langen Fahrt!«

Martha ist das erste Mal von zu Hause fort. Woher soll sie wissen, ob sie müde sein müsste? Eher das Gegenteil ist der Fall – sie fühlt sich hellwach.

Ella deutet nach vorn. »Lass uns die Elektrische nehmen.«

Marthas Blick fällt auf einen Eisenbahnwagen, der deutlich kleiner ist als der, in dem sie hergekommen ist. Kleiner und ohne Lokomotive. Kein Dampf. Die Schienen scheinen in den Boden hineinzuwachsen. »Eine elektrische Straßenbahn?«, erkundigt sie sich vorsichtig.

Ella nickt. Türnow scheint plötzlich weit entfernt.

Sophienstraße. Carl August Platz. Straßennamen ziehen an Martha vorbei. Die Fahrt in die Innenstadt dauert eine Viertelstunde. Die Bahn klingelt mit hellem Ton. Marthas Ankunft in Weimar wohnt eine entschieden heitere Note inne.

An der Haltestelle *Frauenplan* steigen sie aus. Zwei Frauen und ein Koffer. Ein junger Mann mit Hut und Schnurrbart bietet sich an, das schwere Gepäckstück zu einer Droschke zu tragen. Lächelnd lehnt Martha ab – sie will es alleine schaffen.

Vielleicht hat ihre neue Bekanntschaft recht, denkt sie, und sie ist die neue Zeit – zumindest ein Teil von ihr. Der Teil, der einer vollkommen Fremden in ihre Wohnung folgt.

»Goethe«, sagt Ella und deutet auf das gelb gestrichene Haus zu ihrer Linken. Martha nickt. Auf der höheren Mädchenschule haben sie den *Werther* gelesen; laut, jedes Mädchen einen ganzen Abschnitt. Mit klopfendem Herzen erinnert sie sich an den Moment, als sie Lotte ihre Liebe gestanden hat.

Wenige Gehminuten später stellt Martha ihren Koffer

im Flur von Ellas Elternhaus ab. Erleichtert schwebt sie hinter ihrer Gastgeberin die Treppe hinauf.

Helles, in schrägen Balken einfallendes Licht begrüßt sie in Ellas Zimmer. Staubkörner tanzen durch den Raum. Die weißen Vorhänge sind zur Hälfte zugezogen. Erhitzt setzt Martha ihren Hut ab und fächelt sich mit der breiten Krempe Luft zu.

»Und?« Ella betrachtet sie erwartungsvoll.

»Sehr schön!«

»Nein, das meine ich nicht. Willst du dich nicht frisch machen?« Sie zeigt auf das Schränkchen mit der Waschschüssel. »Im Krug ist frisches Wasser. Das Mädchen füllt ihn jeden Morgen auf.«

Martha tritt vor und betrachtet ihr Gesicht im Spiegel über der Frisierkommode. Gerötete Wangen. Der sanfte Schatten des Flaums auf ihrer Oberlippe. Dunkle Augen, die sie fragend anschauen.

Heinzchen, neben ihr, ist zu einem ernsthaften jungen Mann herangewachsen. Aufmunternd nickt er ihr zu.

Es ist an der Zeit, ein Zeichen zu setzen.

□ △ ○

Martha sitzt vor der Frisierkommode. »Nun mach endlich!«

»Bist du dir wirklich sicher?« Ein ungewohnter Zweifel schwingt in Ellas Worten mit.

»Ja. Was ist denn schon dabei?«

Ella greift nach Marthas dunklem Haar und sieht, wie die schlanke Frau im Spiegel dasselbe tut. Eine Umkehrung der Perspektive, die sich ihr sonst durch den Sucher ihrer Kamera bietet.

Sie beobachtet sich dabei, wie sie Marthas Haar im Nacken nach oben schiebt. Ein seidener Wasserfall ergießt sich über ihre Hand. Sie klemmt eine Strähne zwischen Zeige- und Mittelfinger.

Normalerweise ist sie Beobachterin. Befindet sich in sicherem Abstand zum Geschehen.

Martha verschiebt das Gleichgewicht.

Plötzlich ist Ella gezwungen zu handeln.

Entschlossen greift sie nach der Schere.

□ △ ○

Martha steht auf. Vorsichtig streicht sie über ihr kurzgeschnittenes Haar.

»Das ist schön.« Sie tritt vor und küsst Ella sanft auf die Wange.

Nie zuvor ist sie einer fremden Frau in deren Wohnung gefolgt. Geschweige denn, dass sie eine solche geküsst hätte. Allerdings hat sie auch nie zuvor wie ein Junge mit unternehmungslustig blitzenden Augen und zerzaustem Haarschopf ausgesehen.

»Ich danke dir«, sagt sie.

»Ähem, … gern geschehen.«

»Wo ist denn nun die Kunstschule Bauhaus?«, fragt Martha.

Ella lacht auf. »Du reist über siebenhundert Kilometer mit dem Zug und kennst nicht die genaue Adresse? Es ist ganz einfach. Wenn du unten aus der Tür trittst, gehst du die Marienstraße hinauf und biegst nach ein paar hundert Metern rechts ab. Dort liegt dann gleich das Bauhaus, es ist ganz nah. Ein schöner Zufall, nicht wahr?«

Martha lächelt. »Vater sagt immer«, sie ahmt Ottos Tonfall nach, »in der Musik und in der Liebe gibt es keinen Zufall. Alles steht geschrieben!«

□ △ ○

Martha tritt hinaus auf die inzwischen merklich leerer gewordene Marienstraße. Dunkle Wolken kündigen ein Gewitter an. Die Menschen eilen nach Hause.

Sie wird Ella wiedersehen, so viel steht fest. Nicht zuletzt, weil sie den Koffer bei ihr untergestellt hat.

Wie von Ella beschrieben, wendet sie sich nach links, wobei sie über dem benachbarten Eingang ein großes Schild bemerkt. Dort steht in geschwungener Schrift: *Reformlichtspiele.* Und darunter, zu ihrem Erstaunen: *Inh. Louis Held.* In was für einer Welt muss Ella aufgewachsen sein – der Vater nicht nur Fotograf mit eigenem Atelier, sondern auch Betreiber eines Lichtspielhauses!

Entschlossen folgt Martha der sanften Steigung die Straße hinauf. Wenige hundert Meter später biegt sie an der nächsten Einmündung ab – *Kunstschulstraße.* Das muss es sein.

Vor ihr erhebt sich ein großes dreigeteiltes Gebäude mit hohen, im oberen Bereich nach hinten gebogenen Fenstern. Es ist anders als die Häuser, die sie auf dem Weg hierhin gesehen hat. Weniger Stein, gläserne Front- und Dachflächen. Eine Mischung aus Lehranstalt und Gewächshaus. Ihr Blick fällt auf ein weißes Emailleschild mit schwarzen Buchstaben: *Kantine.* Der Pfeil zeigt um die Ecke.

Erst jetzt wird ihr bewusst, wie hungrig sie ist.

□ △ ○

Leben wird zweifellos entstehen in Weimar; es werden auch die Scheuen aufgerufen, die vorsichtigen Naturen, die erst schnuppern wollen, von wo der Wind weht.

So Oskar Schlemmer, zukünftiger Leiter der Werkstatt für Wandbildmalerei am *Staatlichen Bauhaus* in Weimar, ein Jahr zuvor in einem Brief an seinen Freund und Künstlerkollegen Otto Meyer-Amden.

Martha weiß nichts von jenem Schreiben. Sein Inhalt trifft ohnehin nicht auf sie zu. Sie möchte nicht erst schnuppern, von wo der Wind weht. Sie will ihn spüren. Mit aller Macht.

Über ihr explodiert der Himmel.

Dicke Tropfen fallen wie unzählige Tränen auf sie herab.

□ △ ○

Der Raum ist leer mit Ausnahme mehrerer Reihen von Tischen, Bänken und Stühlen. Fünf Uhr nachmittags. Zu spät fürs Mittag-, zu früh fürs Abendessen. Martha gibt die Hoffnung auf eine Mahlzeit auf. Inzwischen ist das Loch in ihrem Magen so groß wie der Jassener See.

Sie dreht sich um und will die Kantine wieder verlassen, als sich am hinteren Ende des Raumes eine Tür öffnet. Ein hochgewachsener blonder Mann mit einem Tablett voller Geschirr kommt herein. Misstrauisch mustert er Martha.

»Was willst du?«

»Verzeihung, ich möchte mich beim Direktor vorstellen, habe aber den ganzen Tag noch nichts …«

Der junge Mann stellt das Tablett ab und steckt den Kopf durch eine Durchreiche. »Habt ihr noch eine Portion übrig?«

Kurze Zeit später sitzt Martha an einem der Tische, vor sich einen dampfenden Teller mit gebratenen Kartoffelschalen; dazu gibt es Quark. Hungrig langt sie zu. Hinter ihr knallt der junge Mann Teller, Messer und Gabeln auf die Tische. Sie hebt den Kopf und lächelt ihm zu.

»Gropius und die Meister zwingen uns, verschiedene Hausdienste zu versehen«, erklärt er missmutig.

Nachdem er mit Eindecken fertig ist, setzt er sich zu ihr. Sein Gesicht ist glattrasiert. »Ich bin auf der früheren Kunstschule gewesen, um Maler zu werden. Aber seitdem uns im Frühjahr die Bauhäusler übernommen haben, ist alles anders.« Abfällig zeigt er auf Marthas Teller. »Nicht, dass die Schule großartig Geld für Essen hätte, aber diesen Schweinefraß verdanken wir Itten und seinen Mazdaznan-Jüngern!«

Martha weiß nicht, wovon die Rede ist, und murmelt mit vollem Mund: »Schmeckt aber gut!«

»Schön für dich. Soll angeblich gesund sein. Itten stammt aus der Schweiz. Er isst kein Fleisch. Behauptet, die wichtigsten Nährstoffe der Kartoffel lägen unter der Schale.« Er verzieht das Gesicht. »Mir wäre eine fette Thüringer lieber!«

Meisterschüler Hans Groß sieht nicht ein, mit seiner Meinung hinterm Berg zu halten. Auch und gerade einer Neuen gegenüber. Sie soll wissen, wie der Hase läuft am frischgegründeten Staatlichen Bauhaus.

»Abgesehen davon, ist Itten ein Bolschewik«, stellt er fest – Kartoffeln, regionale Küche, Ernährungslehre und Politik in einen Topf werfend.

□ △ ○

Das Direktorenzimmer – gerade Linien, rechte Winkel, Raumdiagonale. Walter Gropius sitzt hinter seinem Schreibtisch; gewohnt, innerhalb klarer Strukturen zu denken und zu arbeiten.

Die junge Frau vor ihm ist das offenbar nicht. Auf seine Frage, wie sie hereingekommen sei, hat sie erwidert: »Erst durch den Regen, dann durch die Kantine.«

Wie so oft scheint Fräulein Hirschfeld, seine Vorzimmerdame, anderweitig beschäftigt.

Nicht nur die Antwort des Mädchens fällt kurz aus. Der dunkle Bubikopf klebt ihr feucht am Schädel.

»Setzen Sie sich!«, befiehlt Gropius und deutet auf den Stuhl vor seinem Schreibtisch. »Was führt Sie hierher?«

Martha schweigt.

Eine gute Frage. Was führt ein neunzehnjähriges Mädchen aus dem Land am Meer zu dem Mann, der behauptet, »es gibt keine Kunst von Beruf«? Der die Meinung vertritt, »der Künstler ist nur eine Steigerung des Handwerkers«? Und der aus dieser Haltung heraus eine völlig neue Art von Schule gegründet hat?

Sie antwortet: »Ich weiß es nicht genau.«

□ △ ○

Türnow. Drei Jahre zuvor. Martha ist Ende sechzehn. Sie wird im Frühjahr die höhere Mädchenschule abschließen. Seit einem halben Jahr spielt sie Geige.

Auf ihre Art.

»Ich habe über unser Gespräch neulich nachgedacht«,

sagt Wolfgang, »und ich denke, ich weiß, was du tun solltest.«

»Was denn?«, fragt Martha interessiert.

»Werde Lehrerin!«

»Nein, ganz sicher nicht!« Martha schnauft verächtlich. »Egal, was mich bewegt, Lehrerin zu werden ist bestimmt nicht das Ziel.«

»Ich weiß. Dennoch rate ich dir, werde erst einmal Lehrerin!«

»Warum sollte ich das tun?«

»Um Zeit zu gewinnen. Du bist auf der Suche nach einer anderen Welt. Einer Welt, die mit Tönen zu tun hat. Mit Bewegung, Formen. Du kannst Musik sehen – ein besonderes Talent. Das ist gut, aber du brauchst Orientierung und Unterstützung. Geeignete Führer.«

»Und wo finde ich die?«

Wolfgang reibt sich mit der Hand übers Kinn. »Ich fürchte, genau das ist das Problem: Es gibt einen solchen Ort nicht!«

Martha zieht die Augenbrauen hoch.

»Es gibt ihn *noch* nicht.« Wolfgang mustert sie eindringlich. »Ich habe von einem Mann gelesen, der eine neuartige Schule gründen will. Schau!« Wolfgang zieht einen zerknitterten Zeitungsartikel aus der Tasche. »Er spricht von einem ›neuen Glauben‹, der alle Künste vereint.«

»Wo ist dieser Mann?«

»Im Krieg«, antwortet Wolfgang, »wie so viele Männer.« Sein Blick geht in die Ferne. »Wahrscheinlich hoch zu Ross.« Mit fester Stimme sagt er: »Du musst die Zeit überbrücken, bis er zurückkehrt. Solange gehst du aufs Lehrerinnenseminar. Bete, dass er den Krieg überlebt!«

Martha hat gebetet. Und Walter Gropius den Krieg überlebt. Endlich steht sie vor ihm.

»Drei Jahre habe ich auf diesen Tag gewartet. Zweieinhalb davon bin ich auf dem Lehrerinnenseminar gewesen. Zu Hause, in Türnow.«

»Haben Sie die Prüfung abgelegt?«

Martha senkt den Blick. »Nein.«

Für einen Moment werden Gropius' Züge weicher. »Das soll vorkommen.«

»Es ist ohnehin nur zur Überbrückung gewesen.«

»Überbrückung wofür?«

»Bis eine Schule wie diese aufmacht.«

Gropius lehnt sich nach hinten. Die alte Strenge kehrt in sein Gesicht zurück.

»Haben Sie einen Lebenslauf und ein polizeiliches Leumundszeugnis eingereicht? Außerdem eine selbstgefertigte Arbeit?«

»Nein, ich habe nicht gewusst …«

»Jeder Mensch kann sich unabhängig von Alter und Geschlecht um die Aufnahme am Bauhaus bewerben. Dies geschieht jedoch nach klaren Vorgaben. Alle Kandidaten werden gleichbehandelt.«

»Ich kann die Unterlagen nachreichen! Und die selbstgefertigte Arbeit …« Nervös nestelt Martha an der Brosche, die Wolfgang ihr zu ihrem sechzehnten Geburtstag geschenkt hat.

Der Geist des Direktors der Staatlichen Hochschule Bauhaus ist ebenso klar strukturiert wie die Einrichtung seines Zimmers. »Das können Sie nicht! Die Auswahl der Kandidaten ist abgeschlossen. Das Wintersemester hat bereits begonnen. Es tut mir leid, Fräulein.« Er steht auf, um Martha zur Tür zu geleiten, wobei sein Blick über ihre schlanke Gestalt wandert.

»Einen Moment, bitte. Warten Sie!« Ein seltsamer Ausdruck tritt in seine Augen. »Vielleicht kann ich doch etwas für Sie, ähem … tun.« Er zeigt zum Schreibtisch. »Nehmen Sie noch einmal Platz. Woher kommen Sie, haben Sie gesagt, meine Liebe?«

□ △ ○

»Und dann hat er dich doch noch genommen?«, fragt Ella ungläubig. »Obwohl er dich quasi schon vor die Tür gesetzt hat?«

Martha ist gekommen, um ihren Koffer abzuholen, aber Ella hat sie gebeten, zu bleiben und zu erzählen.

»Wenn ich es dir doch sage! Meine Hand lag bereits auf der Klinke, als er mit einem Mal ganz merkwürdig geguckt und gemeint hat: Warten Sie!«

Marthas Gedanken wandern zu der Szene zurück, die sie Ella eben beschrieben hat.

»Aus Türnow«, hat sie, irritiert durch Gropius' plötzlichen Sinneswandel, geantwortet, »einer kleinen Stadt an der Grenze.« Sie ist sich unsicher gewesen, ob sie ihm vom polnischen Korridor erzählen sollte. »Neuerdings.«

Ihr Gegenüber schien jedoch an anderen Dingen interessiert. »Und dort leben Sie bei Ihrer Familie – mit Ihren Eltern?«

Martha nickt. »Otto, Elfriede und Wolfgang.« Gedanklich fügt sie hinzu: *und Heinzchen.*

Walter Gropius verfügt ebenfalls über Familie. Er ist verheiratet, wobei dies nur noch bedingt richtig ist. Bald wäre er frei – wofür auch immer. Seine Frau Alma lebt getrennt von ihm. Außerdem ist da seine Tochter Mutzi, eigentlich Manon, inzwischen vier Jahre alt.

Er stammt aus guten Verhältnissen. Sein Vater, der Geheime Baurat, ist vor einigen Jahren verstorben. Die Mutter hat von ihrer Familie ein Rittergut geerbt. Nur der Bruder ist das schwarze Schaf. Vor mehr als zwei Jahrzehnten hat er das elterliche Haus verlassen. Im Streit mit dem Vater, dem Geheimen Baurat.

Gespannt fragt Gropius: »Weshalb drei Eltern?«

Martha stutzt. »Wieso …? Ach so, nein, Otto und Elfriede sind meine Eltern. Otto und Elfriede Wetzlaff. Wolfgang ist ein Freund der Familie, der schon ewig bei uns lebt.«

»Wie haben Sie von der Existenz des Bauhaus erfahren?«

»Wolfgang hat mir einen Zeitungsartikel gezeigt. Darin stand, dass Sie beabsichtigten, nach dem Krieg eine neuartige Schule aufzumachen. Hier, in Weimar. Für Menschen, die an Kunst, Handwerk und Gestaltung interessiert sind.«

»Wo liegt Ihr besonderes Talent?«

Martha errötet. »Eben das möchte ich herausfinden.«

Erneut mustert Walter Gropius die junge Frau vor ihm. Schmaler Oberkörper, der Busen fest geschnürt. Sein Blick wandert weiter, über die schlichte Brosche am Aufschlag ihres Kleides und dann durch sein Direktorenzimmer – gerade Linien, rechte Winkel, Raumdiagonale. Er ist gewohnt, innerhalb klarer Strukturen zu denken und zu arbeiten.

Es würde nicht leicht sein, vom Prinzip der Geradlinigkeit abzuweichen. Auch nur dieses eine Mal.

»Was meinst du mit *er hat ganz merkwürdig geguckt?*«
Ellas Worte holen Martha in die Gegenwart zurück.

»Na ja«, Martha zögert, »sein Blick ist irgendwie komisch gewesen. Noch nie hat mich ein Mann so angesehen – regelrecht angestarrt.«

Ella greift nach ihrer Hand. »Hör zu, meine Liebe. Ganz sicher ist Weimar nicht Berlin, aber du bist auch nicht mehr in deinem beschaulichen Türnow. Man munkelt, am Bauhaus herrschten lockere Sitten. Nimm dich in Acht vor Gropius. Nicht wenige ältere Männer hegen eine fatale Schwäche für junge Frauen!«

□ △ ○

Ella schlägt die Tür des Hauses Marienstraße Nummer eins, in dem sich die Wohnung der Familie, das Atelier ihres Vaters und gleich nebenan die von ihm betriebenen *Reformlichtspiele* befinden, hinter sich zu. Sie hält die *No. 1 Autographic Kodak Special*-Kamera in der Hand, die Louis ihr im vergangenen Jahr zur bestandenen Meisterprüfung geschenkt hat. Seit Marthas Ankunft gestern spürt sie eine seltsame Unruhe in sich.

Der Morgen ist gerade erst angebrochen. Frühes Licht liegt über der Stadt. Nur langsam füllen sich die Straßen mit Leben. In der Nacht zuvor muss es geregnet haben; feucht und schwarz glänzt das Kopfsteinpflaster zu ihren Füßen.

Direkt gegenüber, auf der anderen Straßenseite – Wieland. Überlebensgroß. Wie immer beobachtet er sie mit bronzegrünem Blick. Sie richtet die Kamera auf ihn. Was würde er ihr raten, der kluge Erzieher? Sie ist fünfunddreißig. Beinah schon eine alte Jungfer. Vielleicht hat er Martha gesandt, damit sie sie *bewegt*.

Sie erregen Aufmerksamkeit – Ella und ihre Kodak.

Die wenigsten Menschen benutzen eine Kamera in der Öffentlichkeit: Fotoapparate gehören auf ein Stativ und ins Atelier; Frauen in die Küche, in die Salons der Stadt oder sonst wohin. Ellas schlanker Leib steckt in einem dunkelgrünen Taftkleid. Der Korpus ihrer Kodak ist in dunkles Leder gehüllt.

Ella widmet sich etwas, das es noch nicht gibt – sie macht Schnappschüsse. Direkt vor dem Haus Marienstraße Nummer eins fotografiert sie Passanten, zufällig Vorbeikommende. Ihr insgesamt dreizehntes Opfer bleibt stehen.

»Was tun Sie da, Frollein?«, schnarrt eine Stimme.

»Ich probiere eine spontane Art des Fotografierens aus.«

Der Mann knurrt, jedenfalls kommt es Ella so vor. Dann lüftet er seinen Hut. »Ich bin Professor Adolf Bartels, Autor des Standardwerkes *Geschichte der Deutschen Literatur*. Ihre Fotokamera scheint amerikanischer Herkunft.«

»Eine *No. 1 Autographic Kodak Special*, eine der derzeit besten Kameras auf dem Markt«, zitiert Ella stolz ihren Vater.

»Unfug!«, widerspricht ihr Gegenüber energisch, »unsere eigenen Fabrikate sind mindestens ebenso tauglich. Wo haben Sie den Apparat her?«

Ella deutet auf das Schaufenster hinter sich. »Von meinem Vater, dem ehemaligen Hoffotografen Louis Held.«

»Aha«, ein Vollbart zuckt, ein Monokel klemmt, »ich habe von Ihrem Herrn Vater gehört. Er arbeitet nicht nur als Fotograf, sondern dreht auch Reportagefilme. Und betreibt ein Lichtspielhaus.« Er zeigt auf die *Reformlichtspiele.* »Ein Neuerer, wenn ich mich nicht irre.«

Ella schweigt.

»Vielleicht ist es an der Zeit, den Herrn Fotokünstler einmal persönlich kennenzulernen, Frollein. Gesehen habe ich ihn schon mehrfach; nicht zuletzt bei den Veranstaltungen des von mir gegründeten *Deutschen Schillerbundes.*« Er strafft die im Gehrock steckende Gestalt. »Ich könnte sein Augenmerk auf die Erzeugnisse der Firma AGFA richten. Die *Actien-Gesellschaft für Anilin-Fabrication* produziert seit vielen Jahren deutsche Wertarbeit!« Das »deutsch« knallt wie ein Gewehrschuss. »Habe die Ehre!« Erneut hebt sich der Hut, und Bartels verschwindet.

Erstaunt schaut Ella hinter ihm her. Gestern Martha, heute Adolf Bartels. Zwei Begegnungen innerhalb von vierundzwanzig Stunden. Mit Menschen, die scheinbar unterschiedlicher nicht sein könnten.

Wie hat Martha ihren Vater zitiert: in der Liebe und in der Musik gebe es keine Zufälle?

□ △ ○

Dämmerung vor dem Fenster. Drinnen, im Atelier, Stille. Die letzten Angestellten sind nach Hause gegangen.

Noch am Abend ihres Ankunftstages ist Martha Ellas Vater Louis vorgestellt worden, einem lebhaften älteren Herrn mit gewaltigem Schnurrbart.

»Ich kenne Herrn Gropius«, hat Louis gesagt, »ich habe ihn kurz nach seiner Ankunft hier in Weimar porträtiert.«

»Er hat Martha erzählt, die Studentenunterkünfte am Bauhaus seien alle belegt.« Ella runzelt besorgt die Stirn.

»Nun, was denkt ihr? Das Bauhaus ist eine Schule, keine Pension!«

Ella fasst ihren Vater am Arm. »Hinten, im Atelier, steht die Kammer leer, in der früher der Lehrling gewohnt hat.«

Louis Held ist nicht auf den Kopf gefallen. »Du möchtest, dass ich Fräulein Martha das Zimmer vermiete?«

»Ja, bitte!«

»Wie lange seid ihr schon befreundet?«

Ella und Martha tauschen einen kurzen Blick.

»Seit drei Stunden«, antwortet Ella lächelnd.

Martha hört genau hin. Ihre erste Freundin. Ein neues Leben.

In der Dämmerung am Tisch in ihrer Kammer sitzend, schlägt sie jetzt das Notenheft auf, das Wolfgang ihr beim Abschied gegeben hat. Fest gebunden. Zweihundert leere Seiten im Quartformat. »Es müssen keine Töne sein«, hat er gesagt und nach seinem Füllfederhalter gegriffen, »man kann auch Worte hineinschreiben.« Und schon ist auf dem Vorsatzblatt eine Widmung zu lesen gewesen: *Meiner geliebten zukünftigen Studentin Martha Wetzlaff!*

Ist es wirklich erst anderthalb Tage her, dass Otto sich auf dem Bahnsteig in Türnow in sein großes weißes Taschentuch geschnäuzt hat? Frühmorgens, noch bevor die Glocke von St. Katharinen zum Gottesdienst geläutet hat? Dass sie von Elfriede so lang und fest gedrückt worden ist wie noch nie?

Johann schien es die Sprache verschlagen zu haben. Die Spitze seines Schuhs ist schon ganz stumpf gewesen, so heftig hat er mit dem Fuß über den Boden des Bahnhofs gescharrt. Schließlich hat er all seinen Mut zusammengenommen und nach ihrer Hand gegriffen.

»Ich werde warten«, hat er gesagt, »und wenn du wiederkommst«, sein Adamsapfel ist hoch- und runtergerutscht, »... werde ich dir vielleicht zu nahe treten.«

Martha lächelt.

Sie nimmt ihren Bleistift und setzt dessen Spitze auf die jungfräulich vor ihr liegende Seite. Sie schreibt die Worte auf, die sie heute Morgen, an ihrem ersten Tag am Bauhaus, von Meister Itten gehört hat. »Die am besten fassbare, bestimmbare Form ist die geometrische, deren Grundelemente der Kreis, das Quadrat, das Dreieck sind. In diesen drei Formelementen liegt jede mögliche Form keimhaft. Sichtbar dem Sehenden – unsichtbar dem Nichtsehenden.«

Martha weiß, dass sie sieht. Hat es immer getan. Von Geburt an. Ebenso weiß sie, dass sie hört. Aber da ist noch mehr, weit darüber hinaus. Sie wird herausfinden, was es ist.

Es tut ihr leid für Johann. Aber sie denkt nicht an Wiederkehr. Nicht in diesem Augenblick.

Sie ist gerade erst angekommen.

Zum Wintersemester 1919/1920 erreicht die Schülerzahl am Bauhaus mit 101 weiblichen und 106 männlichen Studierenden ihren höchsten Stand.
Mit Datum vom 22. Januar 1920 entwirft Dr. Emil Herfurth, Vorstand des völkisch-nationalen Bürgerausschusses in Weimar, seine Kampfschrift »Weimar und das Staatliche Bauhaus«, die er später beim Landtag einreicht.
Der Wert eines US-Dollars beläuft sich zum 03. Februar 1920 auf 96,25 Papiermark.
Am 01. Mai 1920 schließen sich die acht bisherigen thüringischen Freistaaten zum Land Thüringen mit der Hauptstadt Weimar zusammen.
Am 20. Juni 1920 finden in Thüringen die ersten Landtagswahlen statt, aus denen eine Regierungskoalition aus SPD, USPD und DDP hervorgeht.
Im Herbst 1920 schlägt Walter Gropius vor, weibliche Studierende vor allem in den Werkstätten für Weberei oder Buchbinderei einzusetzen, um »unnötige Experimente« zu vermeiden.

□ △ ○

Die Magie des Anfangs. Martha steht am Morgen auf, wäscht sich, kleidet sich an und isst einen Apfel – mit Appetit. Dann stürmt sie die Marienstraße hinauf.

Jeder neue Unterrichtstag hält eine Überraschung bereit. Gestern hat Johannes Itten seine Schüler auf den Schrottplatz geschickt. Heute lässt er sie die Müllhalden der Stadt nach Holz, Glas, Metall und anderen Materialien durchwühlen. Martha und ihre Mitstudenten sollen Collagen erstellen, die das Wesen der Dinge verdeutlichen – spitz/stumpf, eckig/rund, rau/glatt.

»Alles Wahrnehmbare wird durch Gegensätze bestimmt – auch der Mensch«, erklärt Itten seinen andächtig lauschenden Schülern. Gropius ist der Direktor, aber er ihr Prophet. »Wendet euch zunächst dem Außen zu, um im nächsten Schritt euer Inneres besser zu verstehen!«

In seinem Unterricht vermittelt Itten nicht nur die Kontrastlehre, er *ist* sie. Martha schreibt in ihr Notenheft: *Auftreten bescheiden – Erscheinung außergewöhnlich. Stimme sanft – Wille stark.* Zuletzt schreibt sie: *Blick scharf – Augen gütig.*

Wie alle Lehrer am Bauhaus wird Johannes Itten von den Studenten als »Meister« angesprochen.

Auch in ihrem eigenen Leben findet Martha die Prinzipien der Kontrastlehre bestätigt. Oder hätten Heinzchen und sie zu Hause in Türnow stundenlang auf den Körper eines nackten Mannes gestarrt?

□ △ ○

»Er ist vollkommen unbekleidet gewesen?«

Martha nickt.

»Und Itten hat das Grammophon angestellt, damit ihr das … ähem, Gesehene *rhythmisch* aufs Papier bringen konntet?«

Martha nickt erneut. Ellas Begeisterung scheint ihr ein wenig übertrieben. Ein nackter Mann ist ein nackter Mann. Oder etwa nicht?

Obwohl – er ist ihr durchaus sympathisch vorgekommen.

»Für dich tue ich es umsonst«, hat er verschwörerisch geflüstert.

Otto Umbehr wird von allen nur Umbo genannt. Gerade eben befindet Martha sich auf Augenhöhe mit einem für sie unvertrauten Teil seiner Anatomie.

»Natürlich nehmen wir hier, bei uns, alle kein Geld dafür«, schränkt Umbo ein.

»Wo tust du es denn nicht umsonst?«, fragt Martha.

»Unten in der Stadt, bei den sogenannten etablierten Künstlern, in ihren feinen Ateliers. Sie müssen dafür bezahlen. Ich brauche das Geld!« Unmerklich verlagert er sein Gewicht von einem Bein auf das andere.

»Du sagst, hier tun es … alle?«

»Selbstverständlich. Wir wechseln uns ab. Nicht nur wir sind ständig pleite. Auch die Schule hat kein Geld – beispielsweise für Aktmodelle. Gropius verbringt die Hälfte des Tages damit, Bettelbriefe an Freunde, Förderer und Bekannte zu schreiben.«

Martha starrt auf ihren Block, auf dem mittlerweile große Teile von Umbos Körper Gestalt angenommen haben. Ein, zwei Stellen sind noch frei. »Das bedeutet, auch ich bin irgendwann an der Reihe?«

Otto Umbehr grinst. »Das hoffe ich doch. Manche Mitschüler zeichnet man lieber als andere!« Inzwischen sind seine Lippen blau angelaufen.

Mitte Oktober. Der Reformationstag steht vor der Tür.

Nicht nur die Mittel für eine angemessene Unterrichtsgestaltung sind am Bauhaus knapp. Auch die Kohlen für den großen Heizkessel im Keller gehen ständig aus.

□ △ ○

14. Oktober 1919

Vertraulich!

W e i m a r – An den Ausschuss der Studierenden

Es ist mir gelungen Lastautos zum Transport von Kohlen direkt aus der Zeche zu erreichen. Es lässt sich dieser Transport finanziell nur ermöglichen, wenn die Studierenden selbst tätig mithelfen. Wir brauchen zum Mitfahren auf den Lastautos 2 mal drei Mann, die beim Aufladen der Kohlen helfen. Ebenfalls muss das Abladen der Kohlen bei uns durch Studierende erfolgen, da die Kosten sonst so enorm hoch werden, dass sie aus unserem Budget nicht geleistet werden können.
Ich bitte unverzüglich um Antwort ob die Studierenden bereit sind, meinen Vorschlag anzunehmen. Jedem der zur Zeche mit hinfährt geben wir einen freien Mittagstisch für eine Woche. Es fahren an drei Tagen je 2 Wagen. Ob die Bemannung sich abwechselt oder dieselben Leute mitfahren, bleibt überlassen.
Da es absolut vermieden werden muss, dass diese Angelegenheit in der Stadt herumgesprochen wird, bitte ich dass diese Frage vertraulich im Ausschuss behandelt wird.
Gropius

□ △ ○

»Wie aufregend!«, sagt Martha.

»Pssst«, zischt Ella. Wie ein Echo pflanzt sich der Laut in der Reihe hinter ihnen fort.

»Ich bin zum ersten Mal in einem Lichtspielhaus«, flüstert Martha. Ehrfürchtig fügt sie hinzu: »In einem künstlerischen Lichtspielhaus.«

Ella hat ihr erzählt, dass Louis eigene Filme dreht. Reportagefilme, die Ereignisse in und um Weimar herum festhalten. Einen Ballonaufstieg, die Vorbereitungen zu einem Autokorso, aber auch das Fällen von Bäumen im Park. Um seine Filme einem größeren Publikum zugänglich zu machen, habe er vor einigen Jahren eine eigene Filmvorführstätte eröffnet: die *Reformlichtspiele*. »Doch heute ist Unterhaltung angesagt – aus Amerika!«, hat Ella gemeint.

Mit einem leisen Quietschen öffnet sich der schwere rote Samtvorhang, und ein blasser Mann mit komischem Hut erscheint auf der Leinwand. Er stolpert, begleitet von einem nicht minder stolpernden Klavier, von einem Malheur ins andere.

Martha lacht.

Und weint.

Und lacht wieder, als er am Ende des Films das Mädchen bekommt, das er liebt. Viel zu schnell erscheinen in verschnörkelter Schrift die Worte *The End* auf der Leinwand. Viel zu schnell für Martha, die sich fragt, wie es wohl weitergeht mit der Liebe der beiden.

Im Sessel neben sich spürt sie Ellas Wärme. Plötzlich fällt ihr Otto Umbehrs Körper beim Aktzeichnen ein.

Geblendet schließt sie die Augen, als im Saal unvermittelt das Licht angeht.

□ △ ○

Professor Adolf Bartels klingelt an der Tür des Hauses Marienstraße Nummer eins – in der Rechten seinen Stockdegen, in der Linken einen Katalog der *Actien-Gesellschaft für Anilin-Fabrication*, kurz AGFA.

Fünfzehn Jahre zuvor hat Großherzog Wilhelm Ernst nicht nur Louis Held vom Hof gejagt, sondern im selben Jahr Bartels zum Professor honoris causa ernannt. Beide Ereignisse gelten in gewissen Kreisen als Skandal.

Bartels' Anliegen ist »die reinliche Scheidung zwischen Deutschen und Juden« in der deutschen Literatur. Zu diesem Zweck hat er eine Literaturgeschichte verfasst.

Verfasst und angepasst. Beispielsweise wird der Protestant Thomas Mann von ihm den jüdischen Literaten zugeordnet.

Nicht nur der große Schriftsteller staunt.

Als das Dienstmädchen die Tür öffnet, überreicht Bartels die AGFA-Broschüre und lässt in der Sprache der Dichter und Denker ausrichten: »Mit den besten Empfehlungen dem Vater des liebreizenden Frolleins. Von Professor Adolf Bartels!«

□ △ ○

Atemübungen, Gymnastik, Meditation und vegetarische Ernährung – der Schweizer Formmeister Johannes Itten pflegt einen asketischen Lebenswandel. Auch seine äußere Erscheinung weist ihn als Anhänger der Mazdaznan-Bewegung aus: einer auf indischen Heilsvorstellungen beruhenden Lebensphilosophie, die er ans Bauhaus mitgebracht hat – als Angebot, das über den normalen Unterrichtsstoff hinausreicht.

Martha notiert in ihrem Notenheft: *rasierter Schädel*

(Kugel), Mönchsgewand (Rechteck) und randlose Brille (zwei Kreise). Kein Zweifel – auf dem Unterrichtsplan steht die Formenlehre.

Itten fragt: »Wo haben Sie heute genächtigt, Umbehr?«

Otto Umbehr zuckt mit den Achseln. »Auf einer Parkbank. Wie die Nacht davor und die Nacht davor auch. Allerdings wird es langsam ein wenig frisch, muss ich zugeben. Ich hoffe, ich hole mir keinen Pips.«

Die Klasse lacht.

Itten nicht.

»Ich spreche mit Direktor Gropius. Ab sofort werden Sie bei einem der Meisterschüler in dessen Atelier schlafen. Einverstanden, Groß?« Fragend blickt Itten zu dem jungen Mann in der ersten Reihe. Dieser nickt stumm.

Martha erkennt ihn wieder: der blonde Jüngling aus der Kantine.

Hans Groß stammt, ebenso wie Professor Adolf Bartels, aus Schleswig-Holstein, präziser, aus Dithmarschen. Es ist nicht ihre einzige Gemeinsamkeit.

□ △ ○

Itten spricht mit Gropius. Im Direktorenzimmer. Der Mönch spricht mit dem silbernen Prinzen. So werden sie von den Studierenden genannt.

Respektvoll.

»Ich bitte um Ihre Zustimmung, Herr Direktor – ich habe Umbehr bei uns in der Schule einquartiert. Er ist mittellos und hat die letzten Nächte draußen verbracht.«

»Wo haben Sie ihn untergebracht?«

»Im Atelier von Groß.«

Gropius zieht hörbar die Luft ein. »Ausgerechnet?«

»Ich weiß«, sagt Itten. »Aber Groß schwärzt uns auch so fortwährend bei seinen völkisch-nationalen Freunden an.«

Das Bauhaus steht für einen Kompromiss. Einen Kompromiss zwischen dem Althergebrachten und dem Neuen. Im April 1919 sind die Großherzogliche Schule für bildende Kunst sowie die für Kunstgewerbe vereint worden. Aus diesem Zusammenschluss ist das Staatliche Bauhaus hervorgegangen.

Junge, begeisterte, nach vorn strebende Studenten und deren gleichgesinnte Meister treffen auf den etablierten Lehrkörper und dessen bisherige Schülerschaft. Missverständnisse sind vorprogrammiert. Walter Gropius kann sich über mangelnden Widerstand nicht beklagen.

»Groß wird erneut behaupten, wir bevorzugten jüdische Studierende.«

»Umbehr ist kein Jude.«

»Na schön, dann wird er über den Verlust seiner Privilegien murren. Erst zwingen wir ihn, den ehemaligen Meisterschüler, eine Handwerkerausbildung zu absolvieren und Hausdienste zu verrichten, jetzt verliert er zu allem Überfluss noch das alleinige Verfügungsrecht über sein Atelier.«

»So ist es.«

Nicht zum ersten Mal spürt Gropius einen stählernen Kern in dem Mann, der ruhig und bescheiden wie ein Mönch auftritt. »Na schön, Meister Itten, Sie haben meine offizielle Zustimmung in dieser Angelegenheit.« Er räuspert sich. »Was ich Sie fragen wollte – wie macht sich eigentlich das Fräulein Martha Wetzlaff in Ihrem Kurs?«

Itten mustert den Direktor des Bauhaus durch die Gläser seiner Goldrandbrille. »Sie interessieren sich für sie?«

»So wie ich mich für alle Schülerinnen und Schüler an unserer Hochschule interessiere.«

»Fräulein Martha hat sich weder schriftlich beworben noch eine selbstgefertigte Arbeit eingereicht ...«

Gropius spannt die Kiefermuskeln an. »Woher wissen Sie davon?«

»Sie hat es mir erzählt«, antwortet Itten. »Außerdem bin ich Mitglied im Meisterrat. Ich erinnere mich nicht, ihre Bewerbung gesehen zu haben.«

»Hat Sie Ihnen noch mehr erzählt?«

»Nein.«

Gropius trifft eine Entscheidung. »Ich muss Sie um Verschwiegenheit bitten, Herr Itten. Es stimmt, die junge Frau, ähem ... liegt mir am Herzen.« Er macht eine kurze Pause. »Ich würde gerne regelmäßig über ihre Entwicklung informiert werden. Von Ihnen persönlich. Sie wissen schon – Vorlieben, Talente, Freunde, Freundinnen und dergleichen.«

Itten nickt. Seine größte Fähigkeit besteht nicht in der Vermittlung von Kunst und Wissen.

Er ist ein Menschenleser.

□ △ ○

Louis Held ist nicht so leicht aus der Ruhe zu bringen. Selbst sein Rausschmiss, damals bei Hof, durch Großherzog Wilhelm Ernst persönlich hat ihn lediglich in seiner Überzeugung bestärkt, sich besser von der Politik fernzuhalten – mehr auch nicht.

Doch jetzt reagiert er überrascht auf den unangemeldeten Besucher, den das Dienstmädchen ins gute Zimmer führt.

Überrascht und zwiespältig.

Er kennt und respektiert Professor Adolf Bartels als selbsternannte Weimarer Kulturgröße vom Sehen, hat alljährlich die Veranstaltungen dessen Schillerbundes fotografiert, von einer persönlichen Beziehung kann aber keine Rede sein.

Jedenfalls bislang.

Bartels widmet sich nicht nur der Literatur. Er vertritt außerdem einen Heimatbegriff, der ihm, Louis, recht national anmutet. Möglicherweise zu national.

Entsprechend erstaunt hat er unlängst den AGFA-Katalog zur Kenntnis genommen, den Bartels ihm hat zukommen lassen.

Seine Verwunderung nimmt deutlich zu, als der Verfasser der *Deutschen Literaturgeschichte* nun in den Worten eines der berühmtesten Söhne der Stadt anhebt: »Heut ist mir alles herrlich; wenn's nur bliebe! Ich sehe heut durchs Augenglas der Liebe!«

□ △ ○

»Sie liegen vollkommen entblößt am Ufer der Ilm, um sich zu sonnen«, empört sich Adolf Bartels, »können Sie sich das vorstellen? Sozialisten! Bolschewiken!«

Sie sitzen im *Residenz-Café*. Louis hat Bartels erlaubt, Ella auszuführen. Es gibt mehr Berührungspunkte als ursprünglich angenommen. Ella ist sechsunddreißig und unverheiratet. Politik hin oder her – es wäre schlicht unklug, des Professors blumige Anfrage abzulehnen.

»Ich weiß nicht, ob ich es mir vorstellen will«, antwortet Ella nüchtern. Sie ist es gewohnt, den menschlichen Körper durch den Sucher ihrer Kamera zu betrachten. Männer wie Frauen. Stets bekleidet.

»Dieses sogenannte Staatliche Bauhaus und seine Schüler stellen einen kolossalen Verfall der guten Sitten dar!«

Ella denkt an Martha. An ihr eigenes Spiegelbild, das Marthas dunkles Haar behutsam im Nacken nach oben schiebt.

Bartels räuspert sich. »Sogar hier, in diesem Café, stehen wir an der Wiege der deutschen Kultur! Wissen Sie, Frollein Ella, dass sich gleich nebenan«, er zeigt auf die gegenüberliegende Wand, »Goethes ehemaliges Wohnzimmer befunden hat?«

»Ja«, entgegnet Ella, »das ist mir bekannt, Herr Professor.« So wie das Verhalten ihres gelehrten Verehrers zwischen väterlich wohlwollend auf der einen und aufgeregt eifernd auf der anderen Seite schwankt, sieht sie sich in ihren Gefühlen für Bartels gleichfalls hin und her gerissen. »Und wissen Sie, dass sein sogenanntes Jägerhaus ganz in der Nähe des heutigen Ateliers meines Vaters stand? Bevor das Bauhaus und seine Schüler die guten Sitten in Weimar ruiniert haben, hat er dort in wilder Ehe mit seiner Geliebten Christiane gelebt!«

□ △ ○

»Das Monokel ist ihm aus dem Auge gefallen«, lacht Ella. »Ob der Tatsache, dass eine Frau ebenfalls über eine gewisse Bildung verfügt oder weil ihn die Vorstellung einer unziemlichen Verbindung des großen Dichterfürsten so sehr schockiert hat – ich weiß es nicht; auf jeden Fall ist unser kleines Tête-à-Tête recht schnell zu Ende gewesen. Als Kavalier hat er mich dennoch nach Hause begleitet und erstaunlicherweise um eine erneute Verabredung gebeten.«

Sie befinden sich in Marthas Zimmer hinter dem Atelier. Ella sitzt an dem kleinen Holztisch auf dem einzigen Stuhl, Martha hat es sich auf dem Bett bequem gemacht. »Und, hast du angenommen?«

»Ja, allerdings unter der Bedingung, dass wir nächstes Mal nicht wieder alleine ausgehen. Vater wäre es ebenfalls lieb, wenn wir eine Anstandsdame mitnähmen. Was hältst du davon, uns ins Theater zu begleiten? Der Professor hat vor einigen Jahren die *Nationalfestspiele für die deutsche Jugend* ins Leben gerufen.«

»Ich weiß nicht so recht.« Martha zögert.

»Komm schon – junge Menschen, Gymnasiasten aus dem ganzen Land, werden an die Klassiker herangeführt: Schiller, Goethe, Lessing. Der Professor hält derzeit nach geeigneten Stücken Ausschau.«

»Wie findest du ihn eigentlich?«

»Bartels? Nun ja, er hat sicher seine Eigenheiten, aber im Großen und Ganzen finde ich ihn recht amüsant. Außerdem kennt er viele wichtige Leute hier in Weimar. Vielleicht kann er mich bei meiner Karriere als Fotografin unterstützen. Du weißt, Frausein ist nicht immer leicht.«

Martha zuckt mit den Achseln. »Vielleicht. Vielleicht auch nicht!«

□ △ ○

Martha und ihr Notenheft. Meister und Studierende haben sich im Laufe des ersten Semesters an den Anblick gewöhnt.

»Guten Tag, Fräulein Martha!«

»Guten Tag, Herr Umbo!«

»... und natürlich *Guten Tag, kleines Notenheft*!«

Die schwarze Kladde ist Marthas ständiger Begleiter. Sie nimmt sie mit in den Unterricht. Auch andernorts liegt sie immer griffbereit – persönlich und öffentlich zugleich.

Im Vorkurs kritzelt Itten Sprüche aus der Mazdaznan-Lehre hinein. Wenn sie in der Druckerei vorbeischaut, zeigt Feininger ihr mit wenigen Strichen, wie man Kirchen zeichnet. Und zwei Seiten weiter skizziert Gerhard Marcks für sie den Entwurf einer Tasse. Auch wenn die Keramikwerkstatt nach Dornburg ausgelagert ist – Martha und ihr Notenheft finden den Weg dorthin.

Martha selber schreibt. Nicht regelmäßig. Nicht immer viel. Dennoch entsteht eine Art Chronik.

Ihres äußeren und inneren Lebens am Bauhaus.

□ △ ○

Über die Duxbrücke, hinauf zum Horn.

Johannes Itten schickt seine Studenten nicht nur auf den Schrottplatz. Der inoffizielle Lehrplan sieht ebenso Exkursionen in die umliegenden Bäckereien wie zum Kolonialwarenladen von Otto Eylenstein vor. Eine kleine Abordnung nimmt, östlich des Ilmparks, den steilen Weg den Hornberg hinauf. Eine sehr kleine Abordnung.

»Wieso darf ich keinen Küchendienst machen?«, keucht Martha.

»Darfst du. Und musst du. Aber nicht heute«, erwidert Umbo, sorgfältig darauf bedacht, nicht zu viel Luft auf zu wenige Worte zu verschwenden. Er wischt sich den Schweiß von der Stirn. »Erst einmal sollst du unseren fabelhaften Nutzgarten kennenlernen!«

Johannes Ittens Kontrastlehre erfährt bei den Studierenden am Bauhaus eine sehr reale Erweiterung – satt versus hungrig. In seiner Farbenlehre kommt Grün nur draußen in der Natur vor. Das allerdings gründlich. Von Anfang an produzieren die Bauhäusler neben Stühlen, Wandbehängen und Keramikvasen außerhalb der Werkstätten Gurken, Kohlrabi und Salat.

Auf dem Rückweg, den Horn wieder hinunter, ziehen Martha und Otto Umbehr in einem Bollerwagen die kümmerlichen Reste hinter sich her, die den Winter überstanden haben. Kohl, Kohl und nochmals Kohl. Die karge Ernte erinnert Martha fatal an den Steckrübenwinter zu Hause in Türnow.

»Komm, wir machen einen kleinen Umweg«, schlägt Umbo vor. »Ich will dir etwas zeigen.«

Sie passieren den alten jüdischen Friedhof. Halbversunkene Grabsteine stehen neben solchen jüngeren Datums – sämtlich mit Kieselsteinen gekrönt. *Ein Gruß an die Toten?*, fragt sich Martha. Hundert Meter weiter weist Umbo über die Straße. »Wie gefällt dir das?«

Marthas Blick fällt auf eine herrschaftliche Villa, gelb und weiß verputzt. »Wer wohnt da?«, fragt sie.

»Was glaubst du?«

»Gropius?«, antwortet Martha zweifelnd. Sie kann sich den geometrische Formen und gerade Linien schätzenden Direktor des Bauhaus nur schwerlich in einer solchen Umgebung vorstellen.

»Viel besser«, grinst Umbo. »Dieses bescheidene Domizil nennt unser Mönch sein Zuhause. Er ist eben auch nur ein Mensch, der gute Meister Itten, nicht wahr?«

□ △ ○

Faust. Im Nationaltheater. Wo sonst?

Martha versteht nicht allzu viel von dem, was auf der Bühne geschieht, doch das ist auch nicht nötig. Professor Adolf Bartels erklärt Ella und ihr das gesamte Stück. Ausführlich. Ausschweifend. Eben jetzt.

Nach der Aufführung sind sie in die *Erholung* gegangen, nur wenige Schritte vom Nationaltheater entfernt. Am Goetheplatz. Wo sonst?

Die Gaststätte ist brechend voll. Martha hat beim Hereinkommen einige Mitschüler erkannt. Gerne hätte sie sich zu ihnen gesetzt, doch sie fühlt sich verpflichtet, bei Ella und deren Professor zu bleiben.

Ella. Und ihr Professor.

Sie spürt einen zarten Stich.

»Goethes *Faust* bildet die Speerspitze teutonischen Schaffens, die auf die schwindsüchtige Brust fremdländischer Schreiberlinge gerichtet ist. Genau wie die Nationalfestspiele für die Jugend steht der *Faust* für deutsche Werte und Tugenden, meine Damen!«

Der Professor hat seine Eigenheiten, hat Ella gesagt. Nun, das muss der Blick der Liebe sein, denkt Martha. Denn für sie ist es entschieden mehr als das. Vielleicht hängt es mit seinem Alter zusammen. Sie schätzt Bartels auf Ende fünfzig. Ob Ella es wirklich ernst meint?

»Aber sollte Theater nicht für alle sein?«, wendet sie ein. »Ich kann mir kaum vorstellen, dass Goethe seinen

Faust nur für Menschen deutscher Nation geschrieben hat.«

Professor Adolf Bartels zieht missbilligend eine Augenbraue hoch, wird jedoch einer Antwort enthoben. Vorn im Lokal, da, wo die Bauhäusler sitzen, sind Stimmen laut geworden.

»Die Persönlichkeit fehlt, welche alles durch ihre Energie und ihren Willen überzeugt …«

»Halt den Mund! Gropius tut, was er kann!«

»… die Führerkraft, welche wirklich deutsches Wesen und deutsche Eigenart in sich trägt!«

»Ich sage dir, hör auf, du verdammter Brandstifter!«

Der Kreis um Hans Groß und Otto Umbehr pfeift und johlt. Die Sympathien sind eindeutig verteilt. Der blonde Student aus dem Norden Deutschlands findet nur wenige Unterstützer für seine Thesen.

»Für mich existiert die sogenannte neue Kunst nicht!«, ruft er. »Wirkliche Kunst bleibt immer Kunst, die ist an keine Zeit, an keine Richtung gebunden. Nur noch einen Schritt, und ihr sinkt alle hinab ins Verderben …!« Er hebt theatralisch den Zeigefinger. »Denkt stets daran, dass ihr Deutsche seid!«

»Tun wir«, erklärt Umbo und beendet die Diskussion mit einer kurzen Ausholbewegung. Krachend landet seine Faust auf Groß' Kinnspitze.

Martha hält den Atem an. Ella zuckt zusammen. Bartels neben ihnen springt auf und drängt sich durch die Menge zu den beiden Kontrahenten. Groß schwankt, ist aber nicht zu Boden gegangen. Mit funkelnden Augen steht ihm der wesentlich kleinere dunkelhaarige Umbehr gegenüber.

»Unterstehen Sie sich!«, ruft Bartels. »Jener junge

Mann ist ein Landsmann von mir.« Er deutet auf Groß. »Er steht unter meinem persönlichen Schutz! Ihr Handeln wird Konsequenzen haben!«

»So viel Courage hätte ich meinem Professor gar nicht zugetraut«, flüstert Ella.

Martha hört den sanften Stolz in ihrer Stimme.

Mit einem Mal wird ihr klar – sie muss mit jemandem reden. Dringend. Über Ella. Bartels. Und sich selber.

Über ihr Verhältnis, das keines ist. Oder doch?

□ △ ○

Martha klingelt an der Tür der hochherrschaftlichen Villa oben auf dem Horn. Ein Dienstmädchen bittet sie herein und führt sie in den ehemaligen Salon. Vor einer riesigen Fensterfront, die einen unverstellten Blick auf den Ilmpark gewährt, steht ein einzelner Stuhl. Ansonsten ist der Raum leer.

Als sie hinter sich ein Geräusch hört, dreht sie sich um. Johannes Itten betritt den Raum. Wie immer ist sein äußeres Erscheinungsbild gewöhnungsbedürftig: Kasack, hochgeschlossen. Hosen, oben weit und unten eng. Das Ganze rotviolett.

»Guten Tag, Fräulein Martha. Welch angenehme Überraschung. Was kann ich für Sie tun?«

»Ich … ich weiß es nicht so genau.« Zögernd deutet Martha in den leeren Raum. »Hier leben Sie?«

»Gewiss«, antwortet Itten. Sanft. »Es ist alles da, nicht wahr?«

Martha mustert seine asketischen Züge. Die hohe Stirn. Die klugen Augen hinter den Brillengläsern. »Ja.« Sie schluckt. »Ich denke schon.« Ihr fällt ein, dass die Mazdaznan-Anhänger sich die Haut mit kleinen Nadelmaschinen punktieren, damit Abfall- und Faulstoffe aus dem Körper austreten können.

Itten tritt ans Fenster und blickt ins Tal. Die Sonne scheint auf seine Gestalt. Für einen Moment wirkt er nahezu durchsichtig.

»Ich bin dort gewesen!«, sagt sie in seinem Rücken.

»Sie sind wo gewesen, Martha?« Itten wendet sich nicht um.

»In der *Erholung*. Gestern, als Otto Umbehr und Hans Groß aneinandergeraten sind.«

»Bedauerlicherweise scheinen recht viele Menschen da gewesen zu sein. Die Geschichte hat schnell die Runde gemacht.«

»Aber ich bin nicht mit den Bauhäuslern da gewesen.«

»Sondern, meine Liebe?«

»Mit meiner Freundin Ella. Und deren, ähem ...«, Marthas Stimme bricht, »... Freund. Professor Adolf Bartels.«

»Oh.« Itten dreht sich um. »Bartels. Ich verstehe. Beziehungsweise, ich verstehe nicht ganz.« Er fixiert Martha durch die Gläser seiner Goldrandbrille. »Sie haben sich während der Auseinandersetzung zwischen Umbehr und Groß gewissermaßen im Lager des Gegners befunden?«

»Ja, aber ...«

»Was, aber?«

»Das ist nicht der Punkt. Es ist ... etwas anderes.«

Nachdenklich streicht Itten sich über den rasierten Schädel. »Nun, wenn es nicht Bartels ist, dann geht es wohl um die zweite Person, die dabei gewesen ist – Ella.«

Martha nickt stumm.

»Sie sagten, sie sei Ihre Freundin?«

»Bartels macht ihr den Hof!«, bricht es aus Martha heraus.

»Das kommt vor, habe ich mir sagen lassen.« Itten mustert Martha nachsichtig. »Und was ist mit Ihnen?«

»Was soll mit mir sein?«

»Nun, wem machen Sie den Hof? Möglicherweise ebenfalls dem Fräulein Ella? Falls dem so wäre, sind Sie sicher ein wenig eifersüchtig. Oder etwa nicht?«

»Eifersüchtig?« Martha ist wie vor den Kopf gestoßen. »Sie meinen auf Professor Bartels?«

Itten hält weiter schweigend den Blick auf sie gerichtet.

»Nein. Ja. Ich weiß nicht.« Martha ringt die Hände. »Ich muss ... ich muss erst einmal nachdenken. Über das, was Sie gesagt haben.« Sie wendet den Blick ab. »Entschuldigen Sie, aber darf ich wieder gehen?«

»Selbstverständlich dürfen Sie gehen.« Itten deutet zur Tür. »Denken Sie in Ruhe über alles nach. Und wenn Sie eine Antwort gefunden haben, kommen Sie wieder.« Erneut wendet er sich zum Fenster. Es scheint seine rotviolette Rückenpartie zu sein, die hinzufügt: »Allerdings denke ich, Sie kennen sie bereits.«

□ △ ○

Öffentliche Erklärung von Professor Adolf Bartels zu den Vorgängen um den Bauhausschüler Hans Groß vom 10. Februar 1920:

»Herr Hans Groß hat Weimar verlassen. Vor seiner Abreise hat er mich, seinen Landsmann, noch einmal besucht, und wir haben die ganze Bauhaus-Angelegenheit

gründlich durchgesprochen. Ich muss gestehen, dass ich das Vorgehen gegen Groß auf seine Rede hin für ein starkes Stück halte. Seine Ausführungen scheint man so gedeutet zu haben, als ob sie gegen eine bestimmte Persönlichkeit, den Leiter des Bauhauses, Herrn Walter Gropius, gerichtet seien. Dabei hat es sich lediglich um die Auflehnung des schaffenden Künstlers gegen die Intellektuellen gehandelt. An dem dann folgenden bestimmten Bekenntnis Groß' zum Deutschtum soll man nicht tippen. Tatsache ist, dass sich unter den Bauhausschülern etwa 30–40 Juden befinden und zwei jüdische Professoren unter den 8 Mitgliedern des Meisterrats. Da wundert es nicht, dass sich bei besonders stark deutsch empfindenden Schülern, wie beispielsweise bei Hans Groß, eine etwas unbehagliche Stimmung ausbreiten kann. Möglicherweise ist zukünftig ja eine bestimmte reinliche Scheidung möglich, wie sie beispielsweise an den österreichischen Universitäten durchgeführt ist, um weiteren Missverständnissen vorzubeugen.«
Hochachtungsvoll,
Professor Adolf Bartels

□ △ ○

»Diesmal also Bartels, davor sein feiner Freund Herfurth! Die Verteidiger deutscher Werte und Tugenden nutzen jede Gelegenheit, uns zu diffamieren!«, konstatiert Walter Gropius grimmig.

Sein Blick wandert über die Meisterrunde – insgesamt acht Männer. Zum Teil berühmte Künstler. Keine Frauen.

»Wenn Herfurth und Bartels verteidigen, sind wir

also die Angreifer?«, bemerkt Johannes Itten nachdenklich.

Gropius denkt an die offizielle Beschwerde von neunundvierzig Weimarer Bürgern und Künstlern, die die Wiedereinrichtung der alten Kunstschule fordern. Und an Doktor Emil Herfurth und dessen Kampfschrift, die er beim Landtag eingereicht hat, angeblich um einer »einseitigen Kunstrichtung« am Bauhaus vorzubeugen. »Ich fürchte, allein unsere Existenz wird von den Völkischen als Angriff empfunden«, antwortet er.

Tatsächlich ertappt er sich manchmal bei dem Gedanken, den Ansinnen der Bauhaus-Gegner nachzugeben – in der Hoffnung, zukünftig in Ruhe arbeiten zu können. Doch zwei Hochschulen würden eine Halbierung des Budgets bedeuten: eine Katastrophe für die ohnehin aufs äußerste angespannte Finanzlage des Bauhaus.

»Können wir irgendetwas tun?«, fragt Feininger, Gründungsmitglied und Meister der ersten Stunde.

Gropius und die restlichen Männer schweigen. Itten hat die Augen geschlossen, Gerhard Marcks, Formmeister der Keramikwerkstatt, zuckt mit den Achseln. »Wir müssen einfach unsere Reihen geschlossen halten«, sagt er. »Den Rechtsnationalen möglichst wenig Angriffsfläche bieten.«

Erneut senkt sich Stille über die Runde. Schließlich ist es Georg Muche, der Jüngste unter ihnen, der es nicht mehr aushält. »Nun sag's ihm schon, Johannes«, drängt er.

»Was sollen Sie mir sagen, Herr Itten?« Walter Gropius' Stimme hat eine ungewohnte Schärfe.

Itten öffnet die Augen. Feininger legt den Stift beiseite, mit dem er die Umrisse einer Kirche skizziert hat.

Die Blicke aller Anwesenden sind auf Johannes Itten gerichtet.

»Nun, es geht um Fräulein Wetzlaff, Herr Direktor. Unmittelbar nach dem Eklat um Groß ist sie bei mir gewesen.« Der Schweizer fixiert einen Punkt hinter Gropius' Schulter. »Sie kennt Professor Bartels persönlich. Verkehrt gewissermaßen gesellschaftlich mit ihm. Sie ist bei dem Streit um Hans Groß dabei gewesen. Wenn wir unsere Reihen geschlossen halten wollen, sollten Sie mit ihr reden!«

□ △ ○

»Ich möchte nicht, dass am Bauhaus Politik betrieben wird! Folglich darf ich Sie dringend bitten, sich von Menschen fernzuhalten, die genau das tun.«

Schuldbewusst senkt Martha den Blick. »Es wird nicht wieder vorkommen.«

Gropius fährt fort. »Im Übrigen werden Sie im Herbst, nach Abschluss Ihres ersten Jahres bei uns, in die Weberei wechseln!«

»Was soll ich da?«, entgegnet Martha. »Ich möchte lieber in die Bühnenwerkstatt. Bitte! Auf der Bühne passieren so viele Dinge gleichzeitig: Menschen, Farben, Bewegung, Klang – alles wird zu einer Einheit. Ich will lernen, wie das vor sich geht!«

Martha spürt, wie Gropius' Blick wie bei ihrem letzten Gespräch über ihren Körper wandert. Ihr Haar ist in der Zwischenzeit nachgewachsen und beginnt sich zu locken. Zu der schlichten, bis zum Hals geschlossenen Bluse trägt sie Wolfgangs Brosche – ihren Glücksbringer.

»Nein, Sie würden dort mit Schreiner- und Malerarbeiten zu tun haben, schwere Lasten heben müssen. Das ist nichts für eine junge Frau. Sie gehen in die Weberei!«

Martha beißt sich auf die Lippen. Hat Ella recht, wenn sie sie vor Gropius warnt? Erhält sie jetzt die Quittung dafür, nicht auf seine Blicke reagiert zu haben? »Es ist eine Bestrafung, nicht wahr?«, stößt sie hervor.

Gropius stutzt. »Weil Sie über Ihre Freundin Kontakt zu Bartels haben? Nein, das haben wir geklärt. Sie werden in Zukunft seine Gesellschaft meiden, und damit ist es gut.«

»Nein, eine Bestrafung, weil ich Ihnen nicht willfährig bin!«

Walter Gropius' Züge erstarren. Sein Gesicht wirkt wie eine Maske. »Wie können Sie es wagen …«, sagt er leise. »Hinaus!«

Wie unter einem unsichtbaren Schlag zuckt Martha zusammen. Als sie den Ausdruck in seinen Augen sieht, weiß sie, dass sie einen schrecklichen Fehler begangen hat.

□ △ ○

»Gropius duldet keinerlei Politik am Bauhaus!« Martha legt ihre Hand auf Ellas Arm. »Er verlangt, dass ich mit sofortiger Wirkung jeden Kontakt zu Bartels einstelle.«

»Dein Direktor soll sich nicht so anstellen. Adolf hat eine Menge Zuspruch für seine Stellungnahme erhalten.«

»Adolf?« Martha starrt Ella ungläubig an. »Er hat dir das *Du* angetragen?«

»Nicht nur das. Er hat mich um Erlaubnis gebeten, offiziell um mich werben zu dürfen.«

Martha lässt sich aufs Bett fallen. Plötzlich erscheint ihr das Zimmer sehr eng.

»Ich verstehe nicht viel von Politik«, sagt sie leise, »aber wie passt das zusammen – du und Bartels und deine neue Zeit?«

»Adolf ist ebenso ein Vertreter der neuen Zeit wie wir beide. Er hat mich Herfurth von der DNVP vorgestellt. Ich werde Porträtaufnahmen von deren Abgeordneten machen. Das ist erst der Anfang!«

»Und was ist mit dir und mir? Wenn Gropius mir den Kontakt zu Bartels untersagt, berührt das unsere Freundschaft. Außerdem studiere ich am Bauhaus, auf das dein Professor so schimpft. Wie soll das alles gehen?«

Ella zögert für einen Moment. »Ich weiß es nicht. Aber es muss gehen. Ich will keine alte Jungfer werden!«

Sie steht auf und tritt an Marthas Bett. Beugt sich vor. Sanft küsst sie sie auf die Lippen. »Keine Angst. Es ändert sich nichts. Wir bleiben Freundinnen, du und ich.«

Als sie sich wieder aufrichtet, gerät die Luft um sie herum in Bewegung. Martha riecht den Qualm von Bartels' Zigarre.

»Du hast dich übrigens vertan, was ein mögliches Interesse von Gropius an mir betrifft«, sagt Martha schwer atmend. »Inzwischen weiß ich, dass er keine unlauteren Absichten verfolgt. Ich habe es in seinen Augen gesehen. Ich hoffe nur, du vertust dich mit deinem Professor nicht ebenfalls«, sagt sie leise.

□ △ ○

Ein Elefant in Weimar. Nicht das Hotel. Ein Elefant am Bauhaus. Kostümfest.

Die Bauhaus-Kantine – allabendlich Ort geselligen Miteinanders. Diskussionsforum, Aufenthaltsraum, Feiersaal. Wer am Bauhaus studiert, nennt die Kantine sein zweites Zuhause.

Umbo und die anderen haben sich mächtig ins Zeug gelegt – Pappmaché, Draht und graue Farbe. Viel graue Farbe. Der Dickhäuter misst beinah drei Meter in der Höhe.

Das Gedränge ist unbeschreiblich. Fast ein Viertel des Raumes wird von der Figur des Elefanten eingenommen. Die anderen drei Viertel: Szenen aus *Tausendundeiner Nacht*. Tanzende Irrwische, Pluderhosen, Turbane, nackte Oberkörper unter ärmellosen Westen. Hölzerne Krummsäbel werden geschwungen. Mehrere verführerische Salomes ergehen sich in einem Schleiertanz. In einer Ecke wird Wasserpfeife geraucht.

Martha steht eng an die Wand gedrückt. Die Bauhaus-Kapelle musiziert. Wilde orientalische Klänge erfüllen den Raum. Doch die Musik wird überlagert vom Lachen und Kreischen der Feiernden. Der Lärm ist ohrenbetäubend.

Martha ist heiß. Ihre Gedanken kreisen um Ella, Gropius, Bartels, die Weberei. Plötzlich hat sie das Gefühl zu ersticken. Sie muss raus. Ganz heraus. Braucht eine Pause.

Eine andere Wirklichkeit.

Am 01. Dezember 1920 nimmt Paul Klee seine Tätigkeit am Bauhaus auf. In den folgenden Jahren unterrichtet er Farb-, Form- und Kompositionslehre.

Die Schülerzahl am Staatlichen Bauhaus in Weimar beträgt zum Wintersemester 1920/1921 143 Studierende, davon 62 weibliche und 81 männliche. Mehr als sechzig Studenten, zumeist Absolventen der früheren Großherzoglichen Schule für bildende Kunst, haben das Bauhaus aus Unzufriedenheit mit den neuen Verhältnissen verlassen.

01. Januar 1921 – Oskar Schlemmer beginnt am Bauhaus. Der spätere Leiter der Bühnenwerkstatt lehrt Akt- und Figurenzeichnen.

Der Wert eines US-Dollars beläuft sich zum 03. Januar 1921 auf 74,50 Papiermark.

Im April 1921 wird die Staatliche Hochschule für bildende Kunst (wieder-)eröffnet und firmiert fortan mit dem Bauhaus unter einem Dach.

Nach den thüringischen Neuwahlen vom 11. September 1921 wird die neue Landesregierung von SPD und USPD gebildet. Unterstützt werden beide Parteien von den Kommunisten. Traditionell stehen die Linksparteien dem Bauhaus-Gedanken Kunst und Handwerk *positiv gegenüber.*

□ △ ○

Weitblick.
Überblick.

Martha fährt nach Hause, um Abstand zu gewinnen. Vom Leben am Bauhaus und von sich selbst. Die Analyse der alten Meister im Vorkurs bei Johannes Itten hat sie gelehrt: Der klare Blick erschließt sich nur aus der Distanz.

In Türnow, im großen Haus, nimmt Elfriede sie in ihre warmen, wohlriechenden Arme. Otto streicht ihr über den Kopf.

»Da ist mein Marthchen ja wieder. Ich hoffe, es hat bloß seine Haare und keine Federn in Weimar gelassen!« Wie die Tropfen eines warmen Frühlingsregens fällt sein Lachen auf Martha herab, vermischt sich mit ihren Tränen.

Spätnachmittags kommt Johann, sie zu begrüßen. In sich gekehrt – von außen nach innen. Zu ihrem Bedauern nicht umgekehrt. Sie wüsste gern, was in ihm vorgeht.

Spät am Abend, die Nacht hat sich längst herabgesenkt, öffnet Martha mit pochendem Herzen die Tür zum Proberaum. Wolfgang sitzt auf seinem Klavierschemel. Er unterbricht seinen Vortrag nicht, als sie sich hinter ihn hockt und an ihn schmiegt. Plötzlich ist sie wieder das kleine Mädchen, das von Wolfgangs Spiel umhüllt wird wie von einer zweiten Haut.

Am nächsten Abend bringt sie ihre Geige mit. Marthas Töne vermischen sich mit denen Wolfgangs. Bilder und Formen, seltsame Figuren steigen in ihr auf. Sie gerät in Schwingung, doch wie schon so oft zuvor fühlt es sich unvollständig an. Das entscheidende Element fehlt.

Als sie die Geige absetzt, beendet auch Wolfgang sein Spiel. Er dreht sich um und fragt:

»Magst du reden?«

Martha nickt. Sie beginnt zu erzählen und hört nicht mehr auf. Von Gropius. Ihrem Verdacht und dem daraus resultierenden Missverständnis. Dass sie immer noch auf der Suche ist und in die Weberei gehen soll.

Über Ella spricht sie nicht.

Es bleibt unaussprechlich. Auch und gerade für sie selber.

Ganz am Ende, als alles gesagt ist, greift Wolfgang nach ihrer Hand. Sanft führt er ihre Finger an seine Lippen und drückt einen Kuss darauf. »Geh zurück. Entschuldige dich bei Gropius. Ich bin sicher, er wird dich verstehen. Das Bauhaus ist der richtige Ort für dich.«

»Aber was fange ich mit meinem seltsamen … Talent an?« Zweifelnd betrachtet Martha die Geige in ihrer Hand. »Wie finde ich das fehlende Glied?«

»Gar nicht«, lächelt er, »es wird dich finden. Werde zunächst einmal, was du bist!«

□ △ ○

Martha kehrt zurück. Zurück ans Bauhaus. In die Höhle des Löwen. Das lange Fräulein Hirschfeld öffnet ihr die Tür zum Direktorenzimmer. Martha tritt ein.

»Es tut mir schrecklich leid«, setzt sie an.

Gropius legt den Stift zur Seite, mit dem er gerade an einem Brief geschrieben hat.

»Es tut mir schrecklich leid«, fährt Martha fort, »wegen meines Verdachts. Aber … es hat an Ihrem Blick gelegen. Wie Sie mich angesehen haben.«

»An meinem Blick?«

»Ich dachte, es ginge Ihnen weniger um mein schulisches Vorankommen als vielmehr um ... meinen Busen.« Martha verstummt. Sie fürchtet, nicht die exakt richtigen Worte gefunden zu haben.

Gropius beugt sich zur Seite. Aus einer Schublade des Schreibtischs holt er seine Pfeife hervor. Er klemmt sie sich unangezündet zwischen die Lippen. Die ganze Zeit lässt er Martha dabei nicht aus den Augen.

»Setzen Sie sich«, sagt er und deutet auf den gelben Kubus neben seinem Schreibtisch. Ein Sessel. Zumindest auf den zweiten Blick.

Martha nimmt Platz.

»Sie dachten also, es gehe um Ihren Busen, Fräulein Wetzlaff?«, beginnt er bedächtig. »So so. Und weil mir dieser«, ein nachsichtiger Unterton schleicht sich in seine Stimme, »nicht gefällig war, wollte ich Sie gewissermaßen in die Weberei strafversetzen?«

Martha nickt beklommen. »So in etwa.«

Gropius nimmt die Pfeife aus dem Mund. Mit fester Stimme sagt er: »Ich fürchte, ich muss mich bei *Ihnen* entschuldigen, nicht umgekehrt! Bitte glauben Sie mir – es ist zu keinem Zeitpunkt um Ihren Busen gegangen, und das meine ich nicht als Beleidigung.« Grimmig fährt er fort. »In der Tat habe ich Sie angestarrt, was für einen Mann in meiner Position unverzeihlich ist. Doch – es hatte andere Gründe. Gründe, die ich Ihnen zu meinem Bedauern nicht erläutern darf. Es steht mir nicht zu.«

Wie an einem unsichtbaren Band schweben seine Worte zwischen ihnen. Satz für Satz. Buchstabe für Buchstabe. Martha versteht und versteht nicht. Sie fasst sich ein Herz.

»Muss ich wirklich in die Weberei?«, fragt sie.

»Ich werde mit Meister Itten sprechen«, antwortet Walter Gropius. »Er soll entscheiden!«

□ △ ○

»Es ist nicht ihr Körper, sondern vielmehr das, was daran befestigt ist!«

Fragend zieht Itten eine Augenbraue hoch.

Gropius hat ihn zu sich rufen lassen. Hat erklärt, einen Fehler begangen zu haben. Im Zusammenhang mit dem Fräulein Wetzlaff.

Johannes Itten hatte genickt. Würdigend. Es geschah nicht allzu oft, dass der Direktor des Staatlichen Bauhaus einen Irrtum einräumt.

Der Schweizer geht in seiner Erinnerung einige Monate zurück. *Ich würde gerne regelmäßig über ihre Entwicklung informiert werden. Von Ihnen persönlich. Sie wissen schon – Vorlieben, Talente, Freunde, Freundinnen und dergleichen.*

Gropius hat indessen weitergesprochen. »Fräulein Wetzlaff hat fälschlicherweise angenommen, ich sei erotisch an ihr interessiert. Weil ich sie angestarrt habe. Ersteres ist falsch. Zweiteres hingegen trifft zu – ich habe sie angestarrt. Und zwar wegen der Brosche, die sie trägt!«

Walter Gropius erzählt. Der silberne Prinz offenbart sich dem Mönch.

Ein Streit mit dem Vater, dem Geheimen Baurat, der beinah fünfundzwanzig Jahre zurückliegt. Der jüngere Bruder, der im Zorn das Haus verlässt. Die Mutter gibt ihm zur Erinnerung ein altes Erbstück mit – eine Brosche in Form eines schmalen goldenen Messstabs. Einmalig in der Ausführung.

Itten hört zu. Und denkt nach. Er fragt: »Ist da unter Umständen noch mehr, von dem Sie mir erzählen wollen?«

Gropius verzieht den Mund. »Vielleicht. Doch im Augenblick ist es alles, was ich Ihnen erzählen kann!«

Johannes Itten schätzt klare Standpunkte. Er zollt ihnen Respekt. »Na schön. So oder so danke ich Ihnen für Ihr Vertrauen. Was kann ich tun?«

»Derzeit bin ich stark in Anspruch genommen«, sagt Gropius, »durch die zahllosen zermürbenden Gespräche mit den Weimarer Stadtvätern. Es geht um die Zukunft des Bauhaus.« Für einen Moment lässt er die Schultern hängen. Doch dann strafft sich seine schlanke Gestalt wieder, und er richtet sich zu voller Größe auf. »Sprechen Sie mit dem Fräulein Wetzlaff. Versuchen Sie herauszufinden, wo ihre wahren Talente liegen.« Ein belustigtes Funkeln tritt in seine Augen. »Ich fürchte, diesbezüglich ist sie noch ein wenig ratlos!«

□ △ ○

Der junge Mann liebt den Frieden des Vormittags. Den zu erlesenden Duft – er ist stolz auf dieses Wortspiel – der Hunderte und Aberhunderte von Büchern in seinem Laden. In seiner Einbildung ist es stets *sein* Laden, auch wenn er nur angestellt ist in *Hoffmann's Buchhandlung*. Welch erhabene Vorstellung: Herder, Goethe, Wieland – sie alle haben hier, in seinem Laden, ihre bibliophilen Bedürfnisse gestillt.

Jäh wird er aus seinen Gedanken gerissen. Von einem Moment auf den anderen drängt eine Horde junger Menschen in die Buchhandlung. Ein Großteil der Männer steckt in phantasievoll umgearbeiteten Soldatenuniformen. Die Frauen tragen Hemden, Hosen und Sandalen. Strumpflos. Ihr Haar ist kurzgeschnitten.

Sie tanzen um ihn herum, den einzig anwesenden Mitarbeiter, und ziehen an seinem Binder. Dermaßen in seiner Würde beeinträchtigt, sieht er sich außerstande, nach ihren Wünschen zu fragen. Allerdings scheinen sie genau zu wissen, was sie wollen.

Aus den Augenwinkeln beobachtet er, wie ein paar von ihnen ein riesiges Plakat im Schaufenster aufhängen.

Ebenso schnell, wie der Spuk begonnen hat, ist er wieder vorbei. Laut johlend und lachend, zieht der seltsame Trupp weiter.

Erleichtert atmet der junge Mann auf. Sorgfältig zieht er seinen Krawattenknoten gerade und fährt sich mit der Hand über das glattanliegende Haar. Dann öffnet er die Ladentür und tritt hinaus auf die Schillerstraße, wo die braven Bürger Weimars geschäftig hin und her eilen. Würdevoll baut er sich vor dem Schaufenster seiner Buchhandlung auf.

Das Plakat ist bunt, chaotisch und ganz sicher anders als alles, was der junge Angestellte bislang gesehen hat. Aber vor allem ist es eine Einladung: GROSSES LATERNENFEST AM BAUHAUS. ALLE SOLLEN KOMMEN UND MITMACHEN!

□ △ ○

Das ehemalige Tempelherrenhaus – einst romantischer Salon, jetzt regelmäßiger Treffpunkt der Bauhaus-Studenten. Sein hoher Turm ragt oberhalb der Ilm, inmitten des Parks, gen Himmel. Für die Mazdaznan-Jünger Ausgangspunkt spiritueller Erleuchtung, für alle anderen hochgeschätzter Ort rauschender Feste. Askese und Lebenslust schließen sich am Bauhaus nicht aus.

Johannes Itten nutzt das Gebäude als Atelier – offen für Studierende, Meister und gute Schwingungen, wie er sagt. Dem Wunsch des Direktors folgend, hat er Martha einbestellt, um mit ihr den Fortgang ihres Studiums zu besprechen.

Freundlich grüßend betritt er den großen, luftigen Raum, der früher den Fürsten als Orangerie gedient hat: »Guten Morgen, Martha.«

Martha, die auf einem Kissen auf dem Boden sitzt, antwortet: »Guten Morgen, Meister Itten.«

Abrupt dreht Itten sich um und geht wieder hinaus. Wenige Sekunden später kommt er erneut herein und grüßt: »Guten Morgen!«

Diesmal antwortet Martha entschieden lauter: »Guten Morgen, Meister Itten!« Sie lächelt.

»Danke, Martha. Ich denke, jetzt ist es ein guter Morgen!« Er lässt sich neben ihr auf dem Boden nieder.

Es gibt keine Stühle in Johannes Ittens Atelier. Der Schweizer ist der Meinung, die besten Gedanken kommen direkt aus Mutter Erde – es wäre unklug, sich allzu weit von ihr zu entfernen.

»Ich habe gehört, Sie möchten im kommenden Semester nicht in die Weberei?«, eröffnet er das Gespräch.

»Nein, bitte nicht.«

»Gibt es Gründe dafür?«

Martha zögert. »Ganz am Anfang des Vorkurses haben Sie gesagt, es gebe die Sehenden und die, die nicht sehen.«

»Richtig.«

Martha spürt ihren Herzschlag. Mit Ausnahme von Wolfgang hat sie noch nie mit jemandem darüber gesprochen. Keiner weiß davon. Abgesehen von Heinzchen selbstverständlich.

Sie gibt sich einen Ruck und erzählt Itten von der Musik, den Tönen und Formen, von ihrer inneren Bewegtheit. »Doch irgendetwas fehlt. Der entscheidende Teil, der alles verbindet. Vielleicht kann ich ihn in der Bühnenwerkstatt finden. Was meinen Sie?«

Itten mustert sie ernst. »Es ist zweifelsohne eine besondere Gabe, über die Sie verfügen. Doch das Bauhaus ist voller Menschen mit speziellen Talenten. Wir haben es uns zur Aufgabe gemacht, sie bei jedem Einzelnen zu erkennen und zu fördern. Ja, ich denke, die Bühnenwerkstatt ist ein guter Ort für Ihre Suche. Sie werden zum neuen Semester dorthin überwechseln. Allerdings«, ein Lächeln erhellt seine Züge, »habe ich noch eine andere Idee. Sind Sie schon dem Fräulein Grunow begegnet?«

□ △ ○

Walter Gropius ruft die Studierenden zusammen. Es gibt keine zentrale Sprechanlage im Hauptgebäude, deshalb stellt er sich auf die große Treppe im Eingangsbereich, wenn es Wichtiges zu verkünden gilt.

Es gibt etwas Wichtiges zu verkünden.

Den Sündenfall.

Etwas unterhalb von ihm, in einer Nische gleich neben dem Treppenaufgang, senkt Rodins *Eva* verschämt das Haupt.

»Verehrte Studierende, zu meinem Bedauern muss ich Ihnen mitteilen, dass die Stadt Weimar den nationalkonservativen Kräften nachgegeben und zum ersten April dieses Jahres beschlossen hat, die ehemalige *Hochschule für bildende Kunst* wiederzueröffnen. Auch wenn sie aus dem Staatlichen Bauhaus ausgegliedert wird, so werden beide Institutionen doch weiter dasselbe Gebäude nutzen.« Er zeigt nach links. »Diese Gebäudehälfte gehört ab sofort zu der neuen Hochschule, jene«, er deutet nach rechts, »steht weiter zu unserer Verfügung. Ich bitte Sie, dies zu respektieren und wünsche Ihnen nichtsdestoweniger einen schönen Tag!«, spricht Walter Gropius und steigt die Stufen auf den Boden der neugeschaffenen Tatsachen hinab.

□ △ ○

Aufmerksam betrachtet Martha die Frau, die von allen, selbst von Johannes Itten, »Fräulein« genannt wird.

Gertrud Grunow – um die fünfzig, graue Haare, doch mit dem drahtigen Körper einer Tänzerin. Genau wie Wolfgang sitzt sie mit dem Rücken zu ihr am Klavier.

»Wissen Sie, was ein Klangdiktat ist, Martha?«, fragt sie und dreht sich zur Seite.

Martha schüttelt den Kopf.

»Nun, es gibt maximal zwölf verschiedene Töne in einer Tonleiter, mehr nicht.« Ihr schmaler Finger schlägt eine Taste an. »Das ist beispielsweise ein F, und normalerweise würden Sie diesen Ton jetzt als Note aufschreiben. Ich hingegen möchte, dass Sie sich ihn als Form vorstellen.«

Martha schluckt. »Ich muss mir nichts vorstellen. Da ist ein Viereck …«

Lächelnd sagt Gertrud Grunow: »Wie schön. Meister Itten hat mir von Ihrem Gespräch berichtet.« Sie drückt eine andere Taste auf dem Klavier. »Was sehen Sie jetzt?«

»Ein Dreieck.«

»Wunderbar. Bitte zeichnen Sie die folgenden Figuren auf!«

Martha zieht ihr Notenheft hervor.

Gertrud Grunow beginnt zu spielen. Die gelernte Pianistin und Opernsängerin folgt keiner besonderen Systematik; lange Töne und Synkopen wechseln einander ab. Ihr Vortrag erinnert weniger an ein Musikstück als vielmehr an einen Tanz. Einen improvisierten Tanz. Als der letzte Ton verklungen ist, dreht sie sich fragend um.

Martha hält ihr das Notenheft hin. Eine komplette Seite ist übersät mit Linien, Rechtecken und Quadraten. An manchen Stellen finden sich Dreiecke, an anderen Kreise. Während sie mitgeschrieben hat, ist sie in Gedanken in Türnow gewesen, im Proberaum. Bei Otto und der Kapelle, deren Märsche, Tänze und Lieder sie schon als kleines Mädchen mit ihren Buntstiften so und nicht anders zu Papier gebracht hat.

»Wissen Sie, was das ist?«, fragt Fräulein Grunow.

»Das, was es immer ist: eine Zeichnung, ein Abbild von dem, was ich höre und sehe.«

Gertrud Grunow nickt. »Richtig. Aber gleichzeitig stellt es noch etwas anderes dar. Einen Entwurf. Einen Plan. Eine Anweisung!«

»Eine Anweisung wofür?«

»Für Ihren Körper. Sie haben doch einen Körper oder etwa nicht?« Fräulein Grunow deutet auf Marthas schlanke Gestalt. »Haben Sie ihn schon einmal wirklich *gefühlt*?«

□△○

»Hast du das Plakat gesehen? Komm mit!«, drängt Martha.

Ella verbringt inzwischen viel Zeit mit Bartels. Ohne sie. Anscheinend braucht es keine Anstandsdame mehr. »Wir veranstalten ein Fest. Alle sind eingeladen. Du auch!«

Der Lauf der Zeit wird am Bauhaus in Festen gemessen. Weihnachtsfeier, Laternenfest, Sonnenwende und Drachenfest. Nirgendwo wird so viel gefeiert in diesen Tagen wie am Staatlichen Bauhaus in Weimar.

Martha und Ella machen sich gemeinsam auf den Weg. Die Dämmerung hat bereits eingesetzt. Es gibt keine großen Entfernungen in Weimar – schon nach wenigen Minuten biegen sie in die Kunstschulstraße ein, wo sie ein Schwarm erwartungsfroher Glühwürmchen in Empfang nimmt.

Es braucht nicht viel am Bauhaus, nur ein wenig Draht, Leim und Papier, um seine Träume zum Leuchten zu bringen. Dutzende phantasievoll gestaltete selbstgebaute Laternen werfen ihren flackernden Schein in das Abenddunkel. Langsam setzt sich der Zug in Bewegung, in Richtung Innenstadt. Einer stimmt ein Lied an. Die anderen setzen ein. Sie singen Volkslieder, die Bauhäusler. Balladen. Selbstgedichtetes.

Weimar schweigt.

Die anständigen Bürger sitzen um diese Zeit in ihren Häusern hinter verschlossenen Türen.

Der Ilmpark bietet eine phantastische Kulisse. Die Nacht ist warm. Martha hockt im Schneidersitz neben Ella am Feuer. Sie lehnt ihren Kopf an Ellas Schulter. »Wie schön, dass du mitgekommen bist.«

Ella lächelt und schweigt. Die Schatten auf ihren Zügen tanzen.

Jemand spielt Gitarre. Der Schein der Laternen spiegelt sich auf der Oberfläche des Flusses. Die ersten Paare verschwinden im Dunkel der Nacht.

Umbo lässt sich neben sie fallen. Er hält eine Flasche und zwei winzige Gläser in der Hand. »*La fée verte*, die grüne Fee. Das Getränk der Künstler!« Er gießt ein und hält ihnen die geheimnisvoll schimmernde Flüssigkeit hin.

Martha und Ella trinken gleichzeitig.

»So ist's richtig, Mädels. Auf die Gesundheit!« Umbo schenkt sich ebenfalls ein, trinkt und schüttelt den Kopf. »Brrr!«

Er zieht weiter.

Es wird nicht kalt. Über ihnen die Sterne. Weinflaschen kreisen. Ella steht auf. Sie schwankt ein wenig.

»Komm«, sagt sie und hält Martha die Hand hin.

Sie gehen flussabwärts. In die Dunkelheit. Wo sie niemand sieht.

□ △ ○

»Was war das?«

»Etwas sehr Schönes …«

»Niemand darf davon erfahren.«

»Ja. Nein. Niemand.«

»Liebst du mich?«

»Ich weiß nicht. Es ist die Art von Liebe …«

»Die Art von Liebe …«

»… die nicht sein darf?«

□ △ ○

Martha schreckt aus dem Schlaf.

Ella. Ohne anzuklopfen ist sie hereingeplatzt.

»Gestern Abend …« Verkrampft hält Ella mit einer Hand die Strickjacke zusammen, die sie über ihr Nachthemd geworfen hat.

Vor Marthas innerem Auge steigt Ellas elfenbeinfarbener Körper aus der Dunkelheit empor. Die Weichheit ihrer Haut. »Wenn du denkst, ich bereue irgendetwas …«

»Nein, darum geht es nicht«, sagt Ella unglücklich. »Jedenfalls nicht jetzt. Auf dem Rückweg aus dem Park sind zwei … sind zwei der Bauhäusler überfallen worden.«

»Um Gottes willen! Wer? Und warum?«

»Ich weiß es nicht. Das ist es ja. Das Dienstmädchen behauptet, es habe gehört, die beiden hätten nichts gemacht. In der Stadt werde erzählt, man habe ihnen einen Denkzettel verpassen wollen. Einfach so.«

»Einen Denkzettel? Wofür?«

Ella schluckt. »Weil sie anders sind.«

□ △ ○

Sie nennen die alte Zeit die *Goldene.* Wieland, Herder, Schiller, Goethe – hell strahlt die Sonne des Geistes am Firmament der Fürstenstadt.

Es folgt das *Silberne Zeitalter.* Böcklin, Lenbach, Liszt – Malerfürsten und ein musikalisches Genie finden ihren Weg in die Stadt an der Ilm.

Anfang des zwanzigsten Jahrhunderts gibt es eine Zäsur. Arbeiter, Akademiker, Angestellte – mit einem Mal eint viele von ihnen dasselbe Gefühl.

Wut.

Wut auf das Fremde. Auf das Anderssein.

Rückblickend wird man es als den Beginn des *Braunen Zeitalters* bezeichnen.

□ △ ○

»Ich darf den Herren des Meisterrates mitteilen, dass es den Studenten Breuer und Umbehr den Umständen entsprechend gutgeht!« Walter Gropius nimmt einen tiefen Zug aus seiner Pfeife. »Sie haben Prellungen und Schnittwunden davongetragen, aber ihre Knochen sind, Gott sei Dank, heil geblieben. Ich habe sie für ein paar Tage vom Unterricht freigestellt.«

»Was genau ist passiert?«, fragt Itten.

»Marcel Breuer und Otto Umbehr sind auf dem Heimweg vom Laternenfest überfallen worden. Unabhängig voneinander. An verschiedenen Orten der Stadt.«

Oskar Schlemmer beugt sich vor. »Haben sie provoziert?«

»Gegenüber der Polizei haben sie angegeben, sie seien ohne Anlass jeweils von einem Trupp vermummter Gestalten verprügelt worden.«

»Könnte es Zufall gewesen sein?«, fragt der junge Georg Muche leise.

»Ich fürchte, nein. Das hier spricht dagegen.« Gropius hält das Blatt Papier hoch, das vor ihm auf dem Tisch liegt. Es zeigt eine ungelenke Zeichnung. »Man hat es beiden mit Tinte auf die Stirn geschmiert.«

»Verflucht«, stößt Kandinsky hervor, der derzeit als Gast der Meisterrunde beiwohnt. Er malt abstrakt und wird erst nach Fertigstellung seiner Abhandlung *Über das Geistige in der Kunst* den Unterricht am Bauhaus aufnehmen. »Ich kenne das Zeichen. Ich habe es bereits mehrfach gesehen. In München taucht es zunehmend an den Häuserwänden auf.«

»Was ist es?«, fragt Paul Klee, die Augen weit geöffnet.

Kandinsky mustert ihn grimmig. »Das Symbol einer neuen Partei. Sie nennen sich die *Nationalsozialisten*!«

□ △ ○

Ella fängt Martha auf dem Weg nach Hause ab. Ein unguter Plan. In Marthas Kammer wäre es warm und gemütlich gewesen. So stehen sie auf der zugigen Straße und frieren.

»Bitte«, flüstert Ella eindringlich, »du darfst niemandem davon erzählen! Vater würde der Skandal schwer zu schaffen machen und Adolf jedweden Kontakt zu mir abbrechen. Aber es wäre auch dein Ruin. Garantiert müsstest du das Bauhaus verlassen. Wir beide wären gezwungen, aus Weimar wegzugehen!«

»Wäre das so schlimm?«

»Bist du verrückt geworden? Wo sollten wir hin?«

Der Druck von Ellas Hand auf Marthas Arm wird stärker, beinah schmerzhaft. »Ich will nicht mit dir zusammen sein! Ich möchte als Fotografin erfolgreich werden, an Ausstellungen teilnehmen und an der Seite eines angesehenen Mannes in der Öffentlichkeit stehen. An Adolfs Seite!«

»Er ist alt ...«

»Und du bist jung! Zu jung, um das Leben zu verstehen. Konzentrier dich auf deine Ausbildung am Bauhaus, und schlag dir mich aus dem Kopf! Hörst du?« Ella lässt Martha los. »Für immer!«

□ △ ○

Martha konzentriert sich auf ihre Ausbildung am Bauhaus. Sie versucht es zumindest.

»Sie sind nicht im Gleichgewicht!« Gertrud Grunow wertet nicht. Stellt lediglich fest.

»Na und? Was ist so schlimm daran?« Martha trauert. Und ist wütend. Auf Ella. Auf sich selbst. Auf das Leben, welches ihr ein einzigartiges Geschenk macht, nur um es ihr im nächsten Moment wieder wegzunehmen.

»Wissen Sie, wie mein Unterricht heißt?«, fragt Fräulein Grunow.

»Harmonisierungslehre ...«

»Eben.« Fräulein Grunow schlägt eine Taste auf dem Klavier an. »Wie würden Sie diesen Klang in der Bewegung ausdrücken?«

»Ich verstehe nicht. Was meinen Sie damit?«

»Nun, ich möchte, dass Ihr Inneres mir zeigt, was es hört. Gestalten Sie den Klang. Verleihen Sie ihm Gestalt durch Ihren Körper. Nutzen Sie alles, was Ihnen zur

Verfügung steht, damit ich sehe, was Sie sehen!« Gertrud Grunow blickt ihre neue Schülerin herausfordernd an.

Martha schließt die Augen. Der Klavierton schwingt in ihrem Inneren nach. Zweifelsohne besitzt er die Form eines Dreiecks. Deutlich erkennt sie dessen Ausdehnung im Raum. Vorsichtig macht sie einen Ausfallschritt nach hinten; gleichzeitig breitet sie beide Arme aus. Sie dreht sich zur Seite, ein Arm zeigt jetzt schräg nach oben, der andere bewegt sich nach unten, parallel zum Bein. Mit einem Mal bildet ihr Körper eine einzige Linie. Marthas Hals ist anmutig gestreckt wie der eines Schwans. Sie verharrt in dieser Haltung.

»Bravo«, sagt Fräulein Grunow leise, »ich kann es sehen!«

□ △ ○

Ein Rhythmus bildet sich heraus.

Martha beendet ihr drittes Semester am Bauhaus. Sie tanzt. Bei Fräulein Grunow im Harmonisierungskurs. Und bei Oskar Schlemmer, dem neuen Leiter der Bühnenwerkstatt.

Im Sommer arbeitet Martha bei Louis im Atelier. Ella hat sie darum gebeten – sie ist ausgezogen, in das Haus einer Tante, etwas außerhalb der Stadt. Hat sich selbständig gemacht und arbeitet auf eigene Rechnung.

Sie sehen sich nur noch sporadisch. Ella und Martha.

Grundsätzlich ist Martha froh, arbeiten zu können. Geld fällt nicht vom Himmel. Oder doch. Sie verdient Tausende, kann sie aber nicht ausgeben. Es gibt kaum etwas dafür zu kaufen.

Außer im Atelier hilft Martha im Kino. Und ist bei den Außenaufnahmen dabei. Louis dreht weiterhin Filme. »Reportagefilme«, wie er sagt. Er bevorzugt lokale Ereignisse. Einmal dreht er einen Kurzfilm über die Ballettproben am Nationaltheater.

Martha ist fasziniert von den schnellen Drehungen der Tänzerinnen, der gewaltigen Sprungkraft ihrer Partner.

Weihnachten fährt sie erstmals wieder nach Hause. In Türnow ist alles wie immer. Die Zeit scheint stillzustehen. Leben findet nur am Bauhaus statt.

Elfriede, Otto, Wolfgang. Sie alle freuen sich, Martha zu sehen. Martha freut sich ebenfalls.

Nur Johann kommt kaum zu Besuch. Falls er sich freut, lässt er es sich nicht anmerken.

Die Schülerzahl am Staatlichen Bauhaus in Weimar beträgt zum Wintersemester 1921/1922 nur noch 108 Studierende, davon 44 weibliche und 64 männliche. Materielle Not, die Wiedereröffnung der Staatlichen Hochschule für bildende Kunst und die Versprechungen verschiedener Heilsbringer tragen zum Schwinden der Gesamtschülerzahl bei.

Am 01. Juli 1922 tritt Wassily Kandinsky offiziell ins Bauhaus ein.

Im August 1923 findet die erste und gleichzeitig letzte große Bauhaus-Ausstellung in Weimar statt.

Zum 02. Dezember 1923 beläuft sich der Wert eines US-Dollars auf 4,2 Billionen Papiermark.

Nach den Neuwahlen zum Thüringer Landtag vom 10. Februar 1924 drängen die zum Thüringer Ordnungsbund zusammengeschlossenen bürgerlich-konservativen Parteien auf baldige Schließung des Bauhaus.

Zum Frühjahr 1924 sind am Bauhaus noch 35 Studentinnen und 60 Studenten eingeschrieben.

Am 18. September 1924 kündigt die neue Landesregierung »vorsorglich« die Arbeitsverträge der Bauhaus-Meister zum 31. März 1925.

□ △ ○

Behutsam drückt Martha die Klinke herunter, öffnet langsam die Tür und betritt mit angehaltenem Atem den großen, abgedunkelten Raum. Oben, auf der beleuchteten Bühne, dreht sich ein Wesen, halb Mensch, halb Kunstfigur, in abgehackten, marionettenhaften Bewegungen zu leiser Musik. Blaue Kugeln statt Hände, die Nase ein spitz zulaufender roter Kegel. Das Gesicht des märchenhaften Wesens und seine Extremitäten sind hinter farbigen Schablonen verborgen.

Oskar Schlemmer ist noch nicht lange Leiter der Bühnenwerkstatt. Doch er weiß, was er will – Ballett, welches das Künstliche in der Kunst in den Vordergrund stellt; Tanz, der die Maschine Mensch und den Mechanismus Körper spürbar macht.

Sein Vorgänger, Lothar Schreyer, hat ebenfalls gewusst, was er will. Aber die Bauhäusler haben es nicht gewollt. »Bewegungsarm« und »handlungsfrei« sind noch die harmloseren Kommentare nach der Aufführung seines letzten Stückes *Mondspiel* gewesen.

Draußen vom Flur dringen Gelächter und Stimmen herein. Die Figur auf der Bühne hebt den Kopf.

»Mach die Tür zu, Martha«, ruft Umbo mit dumpfer Stimme, »es zieht!«

Martha ist jetzt Tänzerin. Sie tanzt in der Stille bei Gertrud Grunow und für die Öffentlichkeit in der Bühnenwerkstatt unter Oskar Schlemmer. Ihr erstes großes Solo hat sie bereits hinter sich gebracht. Erfolgreich. Erstaunt hat das Bauhaus zur Kenntnis genommen, dass die »kleine Pommeranze« anscheinend ihren Weg gefunden hat.

»Ich hasse diese Verkleidung«, schimpft Umbo oben auf der Bühne. »Sie schnürt mir fast überall das Blut ab. Und wenn ich überall sage, meine ich auch überall!«

Martha kann sich sein Grinsen hinter der Maske

lebhaft vorstellen. Seitdem Ella und sie sich nur noch selten sehen, geht sie häufiger mit Otto Umbehr aus. Ein Freund. Ob er mehr will, weiß sie nicht, will es auch nicht wissen, denn endlich hat sie gefunden, wonach sie ihr halbes Leben lang gesucht hat. Oskar Schlemmer und Gertrud Grunow – beide haben ihr auf ihre jeweils eigene Art gezeigt, dass tatsächlich etwas *zwischen* Hören und Sehen liegt. Mit ihrer Hilfe hat sie das fehlende Glied entdeckt: ihren Körper.

Was für ein erhebendes Gefühl, als Gertrud Grunow ihr erstmals befohlen hat: »Tanzen Sie das rote Viereck!«, und sie getanzt und festgestellt hat, dass es für sie die selbstverständlichste Sache der Welt ist. Plötzlich hat sich der Kreis geschlossen zwischen ihren Kindheitserlebnissen in Türnow und dem Studium am Bauhaus. Klangkugeln, die aus Gießkannen aufsteigen; farbige Töne, die wie Kuchenteig aus dem großen Haus hervorquellen. Mit einem Mal bekommt alles einen Sinn.

Ein untersetzter Mann, nahezu glatzköpfig, mit markant abstehenden Ohren, tritt neben sie. »Hallo, Martha, wie geht es Ihnen? Haben Sie Ihre Rolle geübt?«

Oskar Schlemmer und damit die gesamte Bühnenwerkstatt ist derzeit vor allem mit einem beschäftigt – seinem *Triadischen Ballett*, einer Art Avantgardetanz, befreit von jedem klassischen Ballast.

Martha nickt. Bevor die Proben begonnen haben, hat sie ihn gefragt, was *triadisch* bedeute.

»Nun, es ist recht einfach«, hat Oskar Schlemmer geantwortet. »Triadisch meint die dreigliedrigen Ordnungen. Die Dimensionen des Raums: Höhe, Tiefe, Breite. Die Grundformen: Kugel, Kubus, Pyramide.

Die Grundfarben: Rot, Blau, Gelb. Die Dreiheit von Tanz, Kostüm und Musik!«

Und wie schon bei ihrer Begegnung mit Fräulein Grunow hat Martha das sichere Gefühl gehabt, auf einen vertrauten Fremden gestoßen zu sein.

□ △ ○

Johannes Itten steigt aus dem Zug, der ihn von Herrliberg am Zürichsee zurück nach Weimar gebracht hat. Er braucht diese regelmäßigen Ausflüge ins Herz der Erleuchtung, um in der Mazdaznan-Siedlung *Aryana* wiedererleuchtet zu werden, der eigenen Flamme neue Nahrung zu geben. Außerdem hat er eine Auszeit vom Bauhaus gebraucht.

Druck ist entstanden. Noch mehr Druck als sonst. Erstmals, nach all den Jahren, gibt Gropius den Forderungen der Konservativen nicht nur nach. Er heißt sie sogar gut! Argumentiert, dass sich durch eine Zusammenarbeit von Bauhaus und Industrie neue Wege eröffnen. Die serielle Produktion bestimmter Erzeugnisse würde Geld in die leeren Kassen der Schule spülen. Unermüdlich hat er, Johannes Itten, den Direktor auf den Wert einer ausschließlichen Konzentration der Studierenden auf das Handwerk hingewiesen; damit die Eigenart eines jeden Einzelnen Raum und Zeit erhalte, sich zu entwickeln.

Doch jetzt soll auf Wunsch der Landesväter eine Leistungsschau veranstaltet werden; das Bauhaus beweisen, dass es produktiv arbeitet und zu einer Serienfertigung seiner Erzeugnisse in der Lage ist. »Produktiv« – eine Welle des Abscheus durchströmt Itten. Produktivität mag etwas für Fließbandarbeiter sein, aber nicht für die jungen Menschen, die ihren Enthusiasmus und ihre Kreativität mit ans Bauhaus gebracht haben, um dort ihre besonderen Fähigkeiten zu entdecken und zu entfalten – unter der geduldigen Anleitung der Meister. Unwillig schüttelt er den Kopf.

Johannes Itten vertritt seine Ansichten ausschließlich hinter verschlossenen Türen – im Meisterrat. Niemals würde er öffentlich in Konfrontation zu Walter Gropius gehen. Aber genau das kostet ihn am meisten Kraft, beeinträchtigt sein inneres Gleichgewicht am stärksten – sein beredtes Schweigen.

Als er auf den Bahnhofsvorplatz tritt, nimmt ihn das milde Licht der Weimarer Abenddämmerung in Empfang. Er bleibt stehen. Noch sind die Gaslampen nicht entzündet; in verschwenderischer Fülle wirft Mutter Natur ihr Farbenspiel an den Himmel. Sofort ist er von dem Gedanken eingenommen, einen Abendspaziergang mit den Studenten und Studentinnen auf den Lehrplan zu setzen, um das phantastische Spektrum des Himmelslichts zu verinnerlichen.

Erfüllt von dieser Idee, rückt er den Rucksack gerade, um den Fußmarsch zur Villa am Horn in Angriff zu nehmen, da fällt sein Blick auf eine Litfaßsäule.

Johannes Itten lächelt.

Die Erzeugnisse der Bauhaus-Druckerei sind von Anfang an unverwechselbar gewesen; in Typographie, Originalität des Entwurfs und Verwendung der Farben. Er tritt näher und liest: *Bauhaus-Ausstellung – 15. August bis 30. September 1923*. Seine Miene verfinstert sich. Da ist sie, die Leistungsschau, nun auch offiziell verkündet. Er wendet sich ab, als ihm plötzlich bewusst wird, was unter dem Datum steht: *Kunst und Technik – eine neue Einheit!*

Unversehens verwandelt sich die Flamme der Erleuchtung, die er in der Schweiz neu entfacht und nach Weimar mitgebracht hat, in ein bitteres, nach der Asche der Niederlage schmeckendes Gefühl. Erstmals in seinem Leben verspürt Johannes Itten eine tiefe Resignation.

□ △ ○

Oskar Schlemmer in einem Brief an seinen Freund und Künstlerkollegen Otto Meyer-Amden:

»Ich schrieb Ihnen von dem Zweikampf Itten–Gropius. Der war einmal so, dass es schien: der Eine oder der Andere. Inzwischen wurde scheinbar gütlich beigelegt; Itten musste sich in seinen Befugnissen beschränken, von Gropius begründet mit den Neuberufenen und deren Wirkungskreis. Gropius machte um so mehr in Expansion. Itten zog sich sichtlich zurück vom Unterricht, von den Werkstätten auf seine eigene Arbeit: er malte wieder nach Natur und Tafelbilder. Dazu Mazdaznan. Die Ausbreitung, die er dieser Lehre wünscht, stieß besonders bei Gropius auf Widerstand, er fürchtete die Sektiererei am Bauhaus. Diese Gefahr bestand in der Tat. Itten will, wie er mir sagte, in Zürich Vortragskurse an der Universität und Kunstgewerbeschule halten – nicht nur ich deute dies dahin, dass er in der Schweiz sondiert, um gegebenenfalls dort zu bleiben und das Bauhaus zu lassen.«

□ △ ○

Paul Klee erscheint früh. Sehr früh. Er erscheint absichtlich zu früh zu seinem Unterricht bei Fräulein Grunow, um einer heimlichen Freude zu frönen.

Es ist nicht unumstritten am Bauhaus, das Fräulein Grunow und seine Harmonisierungslehre. Viele der Studierenden und einige der Meister schätzen sie als »Seelentrösterin«. Doch der Rest?

Erst unlängst hat Gerhard Marcks geknurrt: »Das oberste Gesetz, auf dem jede Ordnung aufgebaut sein soll, ist das Gleichgewicht? So ein Unfug!«, und ist in seine Keramikwerkstatt nach Dornburg zurückgekehrt, um in beglückender Asymmetrie eine Vase zu töpfern. Auch andere sehen Fräulein Grunows Theorien kritisch.

Nicht so Paul Klee. Ihm leuchtet ein, wofür Gertrud Grunow steht: Ton, Farbe und Form als Einheitsgrundlage, die mit den seelischen und körperlichen Eigenschaften jedes Einzelnen in Wechselwirkung steht. Und wo sollte dieses Phänomen besser wahrgenommen werden als im Ohr, dem Hüter des Gleichgewichtsorganes?

Fräulein Grunow betont, *chromatisch* bedeute farbig. Jedem Ton in der chromatischen Tonleiter sei eine konkrete Farbe zugeordnet. Und diese wiederum verfüge über eine natürliche Anziehungskraft auf eine bestimmte geometrische Form.

Paul Klee denkt an seinen Malerkollegen Wassily Kandinsky. Erst unlängst hat dieser eine Umfrage am Bauhaus durchgeführt: Welche Farbe entspricht am ehesten welcher Grundform? Mit starkem russischem Akzent hat er hinterher Studierenden und Meistern das Ergebnis verkündet: »Rot ist Viereck, Blau Kreis, und Gelb steht für Dreieck!«

Na also – warum sollten diese Zusammenhänge sich nicht abbilden lassen? Und zwar mit Hilfe des Körpers. In der Bewegung. Im Tanz.

Paul Klee ist sich sehr bewusst, dass er – wie schon die Male zuvor – nicht zu früh zum Unterricht bei Fräulein Grunow erscheint, um die theoretischen Zusammenhänge der Harmonisierungslehre mit ihr zu erörtern. Nein, am liebsten möchte er weder von ihr noch von ihrer Schülerin bemerkt werden. Entsprechend still verhält er sich, als er jetzt leise den Übungsraum betritt.

Martha, die der einzige Grund für sein Zufrühkommen ist, geht soeben auf die Zehenspitzen. Scheinbar schwerelos schwebt ihr hinteres Bein in der Luft. Ohne jede Anstrengung hält sie die Balance – ein Bild vollendeter Anmut.

Wie immer liegt Marthas Kladde auf der Bank neben dem Eingang. Langsam zieht Klee einen Kohlestift aus der Anzugtasche.

Er verfolgt Marthas Bewegungen mit allerhöchster Konzentration; nichts entgeht seinem intensiven Blick. Jede Nuance ihrer Darbietung bildet sich auf seiner Netzhaut ab. Dann schließt er die Augen. Mit einem Mal bewegt sich seine Hand wie von selbst. Eine einzige fließende Linie erscheint auf dem Papier – wie bei einem Tanz. Paul Klee zeichnet wie ein Kind, setzt den Stift nicht ab. Minuten später öffnet er die Augen wieder. Er fügt seiner Zeichnung einige wenige erklärende Worte hinzu. Dann schlägt er das Notenheft behutsam zu und legt es zurück auf seinen Platz. Ebenso leise, wie er den Raum betreten hat, verlässt er ihn wieder.

Paul Klee ist ein Voyeur – doch sein schlechtes Gewissen hält sich in Grenzen. *Habe Sie beim Tanzen beobach-*

tet, hat er über seine Skizze geschrieben. *Verzeihung! Die ganze Zeit das Gefühl gehabt, etwas guckt Ihnen über die Schulter. Erst gesehen, als ich die Augen geschlossen habe.*

Zweifelsohne zeigt seine Zeichnung die Gestalt eines Engels.

□ △ ○

»Es ist zu früh, Herr Direktor«, gibt Feininger, zwei steile Falten auf der Stirn, zu bedenken, »wir sind noch nicht so weit.« Johannes Itten ist nicht der Einzige im Meisterrat, der der geplanten Ausstellung skeptisch entgegensieht.

»Mag sein. Trotzdem, wir werden es schaffen!« Man eröffnet keine vollkommen neuartige Kunstschule gegen alle Widerstände, wenn man nicht überzeugt ist von dem, was man tut. Walter Gropius ist überzeugt. Zweifelsohne.

»Bauhaus – Schauhaus.« Niemand weiß, wer als Erster den Kalauer in die Welt gesetzt hat. Das wirkliche Leben hat gerufen. Weimar, der Stadtrat, der Landtag – man bezweifelt, dass außer Kosten etwas am Bauhaus entsteht.

Der Direktor reagiert. Fieberhafte Betriebsamkeit hält Einzug in die Werkstätten. Es wird geformt, gehauen, gemalt, gewebt. Trotz schwindender Schülerzahl nimmt man am Bauhaus vorübergehend keine neuen Studierenden mehr auf – Begründung: zu beschäftigt!

In der Bühnenwerkstatt geht weiter alles seinen gewohnten Gang. Man probt das *Triadische Ballett* – während der Bauhaus-Woche soll es am Nationaltheater in Weimar aufgeführt werden. Nur die wenigsten wissen, dass die Uraufführung in Stuttgart dann schon ein Jahr zurückliegt.

»Aber die Kostüme bei uns sind hübscher«, grinst Otto Umbehr, »und die Tänzerinnen auch.«

Er hat begonnen zu fotografieren. Sein bevorzugtes Motiv – Martha. Während der Proben, in der Garderobe oder in einem stillen Moment in den Kulissen. Immer wieder ist das Auge seiner Kamera auf Martha gerichtet.

Umbo experimentiert mit ungewohnten Perspektiven und Bildausschnitten. Harte Licht-Schatten-Kontraste stehen einer poetischen Sichtweise gegenüber.

Eines Abends in der Kantine sieht Wassily Kandinsky die Fotos. Er ist Feuer und Flamme. Er verwendet einige der Aufnahmen als Grundlage für vier – von ihm so genannte – analytische Zeichnungen. Sie werden zusammen mit Umbos Fotografien im *Kunstblatt* veröffentlicht. Der Russe gibt seinem Zyklus den Titel *Tanzkurven* und schreibt: *»Charakteristisch für ihre Bewegungen ist 1. die Einfachheit der ganzen Form und 2. das Aufbauen auf der großen Form. Die vollkommene Meisterschaft ist ohne Exaktheit unmöglich. Die Exaktheit ist das Resultat langer Arbeit. Die Anlage zur Exaktheit ist aber angeboren und eine überaus wichtige Bedingung der großen Begabung.«*

Martha fühlt sich geehrt.

□ △ ○

Nichts vermag in diesen Tagen des Aufbruchs den Direktor des Bauhaus von der großen Aufgabe einer allumfassenden Leistungsschau abzulenken – nichts außer der Liebe.

Kurz vor Eröffnung der Bauhaus-Ausstellung trifft Ise

Frank in Weimar ein. Walter Gropius hat sie bei einem Vortrag in Hannover kennengelernt. Mittlerweile von Alma geschieden, ist der Direktor zu dem Entschluss gelangt, erneut zu heiraten. Zur Hochzeit schenken ihm die Studierenden einen Kaktus für seine geliebte Sammlung – er avanciert zum Prunkstück im Kakteengarten auf der Fensterbank im Arbeitszimmer, besteht er doch aus einer grünen Gurke mit geschnitzten Radieschen als Blüten.

Alles am Bauhaus ist Form.

Ise Frank ihrerseits hat nicht nur einen Ehemann, sondern darüber hinaus eine Aufgabe gefunden. Schon bald nennt Gropius seine junge Gattin »Frau Bauhaus«.

□ △ ○

Endlich öffnet im August 1923 die Bauhaus-Ausstellung ihre Tore. Sie wird zum vollen Erfolg. Journalisten, Kunstenthusiasten und Neugierige aus aller Welt eilen herbei.

Eine Mokkatasse kostet 1,60 Mark. Die dazugehörige Kanne gibt es zum Preis von 18 Mark. Im Treppenhaus des Hauptgebäudes werden Wandbilder von Meistern und Schülern gezeigt. Den Höhepunkt des Ganzen bildet zweifelsohne der erstmalige Bau eines Musterhauses. Ein Wettbewerb ist ausgeschrieben worden, und die Studierenden haben abgestimmt; selbstbewusst und demokratisch: gegen Gropius' und für Muches Entwurf – den des jüngsten Bauhausmeisters. Gropius hat die Wahl akzeptiert, mehr aber auch nicht. Sein Kommentar:

»Ihr Schwung – und sei er auch aus dem Wahn geboren – ist der Nerv unserer Ausstellung. Ich bin bereit und mache mit!«

So ist oben auf dem Horn ein Haus für die Zukunft entstanden, das sich kolossal von jedem bis dahin gesehenen Wohngebäude unterscheidet. Die Reaktionen der Besucher fallen unterschiedlich aus. Von einer »Wohnmaschine« ist die Rede. Vom kalten Glanz der Technik. Andere wieder sind beeindruckt von der klaren Formensprache und dem radikalen Verzicht auf jeden Dekor. »Das Bauhaus gibt den Grundelementen ihre Würde zurück!« ist später in einer Architekturzeitschrift zu lesen.

In der Innenstadt, im Nationaltheater, bekommt das staunende Publikum Auszüge des *Triadischen Balletts* vorgeführt – auch das ein Erfolg. Einige Kritiker sprechen im Hinblick auf Marthas Tanzstil von »Ausdruckstanz«.

Doch über alldem liegt ein Schatten – unbemerkt von den Besuchern, umso deutlicher für die Bauhäusler selber. Itten hat mit Gropius gesprochen. Der geheime Direktor des Bauhaus mit dem offiziellen.

»Überall in diesen Tagen stoße ich auf die Losung *Kunst und Technik – eine neue Einheit.* Was ist aus unserem alten Manifest für *Kunst und Handwerk* geworden?«, fragt er.

Walter Gropius richtet sich auf. »Das Bauhaus braucht Geld, Meister Itten, um zu überleben! Wir sind gut beraten, uns der Industrie zuzuwenden. Es sollte kein Problem sein, Entwürfe und Prototypen für eine Serienfertigung zu schaffen.«

»Das Problem sind nicht die Entwürfe, sondern ist der Einzelne und sein individuelles Zeugnis!«

»Wir sind Träumer gewesen, Herr Itten! Sind vom mittelalterlichen Ideal der Bauhütte des Kathedralenbaus ausgegangen. Doch jetzt zwingt uns das zwanzigste Jahrhundert seine Fragen auf!«

»Das Herz sollte sich nicht durch Furcht irreleiten lassen.«

»Bitte verschonen Sie mich mit Ihren religiösen Ideen!«, entgegnet Gropius gereizt. »Ich bin kein Freund davon, das wissen Sie!«

Itten streicht sorgfältig eine Falte an seiner Kutte glatt. »Und eben darum werde ich das Bauhaus verlassen.«

»All das aufgeben, was Sie mit aufgebaut haben? Sind Sie sicher?«

Itten nickt.

»Nun gut, Reisende soll man nicht aufhalten!«, sagt Gropius – wohl wissend, dass er seine Reaktion schon am nächsten Tag bereuen wird.

Itten mustert den Gründer des Bauhaus durch die Gläser seiner Goldrandbrille. »Auch wenn unsere Wege sich trennen, Sie dürfen sicher sein, dass Ihr Geheimnis um Fräulein Wetzlaff bei mir in guten Händen bleibt.«

Walter Gropius wirkt plötzlich erschöpft. »Danke, Herr Itten. Sie sind ein Mann mit Prinzipien. Ich fürchte, darum verlassen Sie uns auch.«

Itten wendet sich zur Tür. Die Klinke schon in der Hand, sagt er: »Wir beide wissen, dass Sie mir damals im Hinblick auf Ihren Bruder nicht alles erzählt haben. Ich verfüge über eine Ahnung von dem, was Sie seinerzeit für sich behalten haben. Handeln Sie klug!«

Nachdem er den Raum verlassen hat, setzt Walter Gropius sich an seinen Schreibtisch im Direktorenzimmer – gerade Linien, rechte Winkel, Raumdiagonale.

Manchmal bezweifelt er, dass irgendetwas davon das wirkliche Leben abbildet.

□ △ ○

Der Sommer verabschiedet sich. Es wird kühler in Weimar.

Martha und Ella – beide sind beschäftigt. Nicht zuletzt damit, sich aus dem Weg zu gehen. Doch heute feiern die Bauhäusler ihr Drachenfest. Ella ist gekommen, um zu fotografieren. Sie arbeitet freischaffend für die *Weimarische Zeitung*. Außerdem will sie selber einen Drachen steigen lassen.

Martha weiß nicht, was sie will. Sie freut sich, dass Ella da ist. Trotz allem. Gleichzeitig ist sie unruhig. Gemeinsam mit den anderen ziehen sie auf den Gehädrich, einen Hügel im Norden der Stadt.

Über handwerkliches Geschick verfügt Martha nach wie vor nicht, trotz Vorkurs und Arbeit in den Werkstätten – ihr Drache erinnert an einen Tanzschuh mit eingerissener Sohle. Ella hingegen hat zu Hause in ihrem neuen Atelier einen schwarzen Zylinder zusammengeklebt. Stolz knattert dessen Krempe im Wind.

Träume, auf Holz und Papier gezogen. Zerbrechlich und leicht. Jeder hält seinen an langer Leine fest.

Den prächtigsten Vogel hat Wassily Kandinsky gebaut: Mit gespreizten Federn steht der Phönix hoch am Himmel. Der Russe ruft: »Auf drei alle loslassen! Eins, zwei, drei!«

Ein bunter Schwarm Ungeheuer, Schlangen, Sterne

und Luftschiffe steigt in den bewölkten Herbsthimmel und macht sich auf den Weg. Auf und davon.

Niemand weiß, wohin die Reise geht.

□ △ ○

Sie tappen die menschenleere verschneite Belvederer Allee entlang. Linker Hand, im Dunkeln, ist Goethes Gartenhaus zu erahnen.

»Du weißt, ich kann nur zwei Stunden bleiben«, sagt Ella fröstelnd. »Lohnt es wirklich den Aufwand?«

»Lass dich überraschen«, entgegnet Martha. »So ein Silvester hast du noch nie erlebt!«

Das *Ilmschlösschen* liegt etwas außerhalb des Zentrums, in Oberweimar. Der Name trügt. Das Haus, das Martha und Ella schließlich betreten, ist nicht mehr als eine bessere Baracke. Dennoch bietet es für die Bauhäusler einen unschätzbaren Vorteil. Es ist das günstigste Lokal weit und breit.

Bereits Tage zuvor haben sie den Tanzsaal besetzt und umdekoriert. Statt harfespielender Jungfrauen bedecken nun selbstgewebte Teppiche die Wände. Blaue Kugeln hängen von der Decke. Rote Quadrate. Und gelbe Dreiecke. Alles am Bauhaus ist Geometrie.

In einer Ecke ein großer Holzklotz. Naturfarben. Senkrecht. Josef. Daneben, kleiner und ebenfalls aufrecht, Maria. Ganz klein: das Jesuskind. Quer. Eine nachweihnachtliche Referenz an Weimar und die Religion.

Es gibt Wein, den Gropius aus seinem persönlichen Bestand gestiftet hat. Die Bauhaus-Kapelle spielt wild und ekstatisch – den »Ungarischen«, den »Russischen«, die »Unika« und die »Matuto«. Keiner weiß, woher die Namen stammen, geschweige denn die Stücke. Es wird improvisiert. Und getanzt.

Oskar Schlemmer und Gertrud Grunow legen ein Solo aufs Parkett. Bei einer der Hebefiguren lässt Schlemmer Fräulein Grunow fallen. Geschmeidig wie ein junges Mädchen fängt sie sich ab. Sonderapplaus.

Ella und Martha tanzen ebenfalls. Wange an Wange. Niemand beachtet sie. Der Punsch fließt in Strömen.

Als die Kapelle eine Pause macht, stellen sie sich in eine Ecke. Erhitzt. Ihre Schultern berühren sich. Ella legt ihre Lippen an Marthas Ohr. »Ich muss jetzt aufbrechen. Aber vorher will ich dir noch etwas sagen. Adolf sitzt gerade in der Marienstraße und hält bei Vater um meine Hand an. Wir werden im neuen Jahr heiraten.«

Martha schluckt. Sie hebt ihr Glas. »Na so was, Prost!«

Ella geht.

Martha beginnt zu weinen.

Kurz vor Mitternacht verliert Martha in der Garderobe ihre Unschuld. Umbo hat sie gefunden und aufgehoben – ihre Unschuld.

Am nächsten Morgen ist er fort. Nach Berlin. Um zukünftig als Fotograf zu arbeiten.

Das Jahr 1924 hat begonnen.

□ △ ○

Die kommenden Monate verbringt Martha auf der Bühne. Sie tanzt. Und tanzt. Ihr ganzes Leben erinnert sie an ein Theaterstück. Sie schreibt in ihr Tagebuch: *Ella, Umbo, Johannes Itten. Sie alle treten auf, nur um im nächsten Moment wieder in den Kulissen zu verschwinden.*

Zu Hause, in Türnow, geht Johann zu Otto. Er sagt nichts und gleichzeitig alles.

Otto bemerkt: »Hab Geduld! Mein Marthchen hat den Duft der großen weiten Welt geschnuppert!«

Er kennt Weimar nicht.

□ △ ○

Im Frühjahr erzielen die Deutschnationalen im Landesparlament in Thüringen die Mehrheit. Einer ihrer Abgeordneten: Adolf Bartels.

Stets an seiner Seite: Ella.

Spät und über Nacht erblüht.

Im September werden die Lehrer am Bauhaus von der neuen Regierung entlassen – »vorsorglich«.

Am 31. März 1925 wird das Staatliche Bauhaus in Weimar seine Tore schließen.

Martha bleibt nicht bis zum Ende.

Sie fährt nach Hause.

New York

(2001)

Ich liege den Rest der Nacht wach, kann nicht mehr einschlafen. Der Jetlag – nein, ich weiß es besser. Immer wieder denke ich über den späten Anruf nach. In weniger als vierundzwanzig Stunden würde ich dem Menschen gegenüberstehen, der Marthas Tagebuch ersteigert hat.

Einer Frau.

Wie passend.

Marthas Geschichte ist in erster Linie eine Frauengeschichte: ihre eigene, die Ellas und die von Hedi. So gesehen habe ich nichts darin verloren.

Der Morgen zieht sich endlos hin. Ich bin in New York und habe nichts zu tun – nicht mehr. Stattdessen fiebere ich der abendlichen Einladung entgegen. Wer hat schon eine Verabredung mit einer Multimillionärin?

Aber wieso hat die anonyme Käuferin ihre Meinung geändert und will mich jetzt doch kennenlernen? Was ist geschehen? Oder ist sie einfach nur öffentlichkeitsscheu, meidet den Rummel und hatte von vornherein vor, mich nach der Auktion zu kontaktieren?

Irgendetwas daran macht mich nervös. Vielleicht ist es die Art und Weise der Einladung – die Menschen, die ich kenne, rufen selber an, wenn sie sich verabreden wollen. Stattdessen habe ich mit der jungen Assistentin telefoniert. Okay, auch nicht schlecht.

Um die Zeit totzuschlagen, beschließe ich, draußen ein wenig herumzulaufen. Allerdings habe ich keine Lust, *New York an einem Vormittag* zu erkunden, wie im Reiseführer empfohlen. Und für ein Kunstmuseum, was naheliegend wäre, fehlt mir die Ruhe. Eigentlich gibt es nur einen Ort in der Stadt, der mich interessiert …

Die U-Bahn braucht nicht lange bis zur einundachtzigsten Straße. Als ich von der unterirdisch gelegenen Bahnstation ans Tageslicht zurückkehre, steht gleich gegenüber das Naturkundemuseum. Hier wollte Holden Caulfield die Zeit bis zu seinem Treffen mit Sally totschlagen; an diesem Ort hat er sich schließlich mit Phoebe getroffen. Nachdem ich für einen Moment andächtig innegehalten habe, überquere ich die Straße und gehe in den Central Park. Salinger behauptet, der Teich, an dem Holden die Enten beobachtet hat, liege im Süden des Parks. Nach einem längeren Fußmarsch stoße ich auf einen See mit einer bogenförmigen steinernen Brücke. Bäume und Sträucher säumen das Ufer. Friedlich paddelt in der Mitte des Gewässers ein Schwarm Enten vor sich hin.

Natürlich, wie sollte es anders sein – Salinger lügt nicht.

Ich verbringe den ganzen Nachmittag im Central Park. Lege mich auf eine Wiese und sehe ein paar kleinen Jungen beim Baseballspielen zu. Irgendwann schlafe ich ein. Als ich aufwache, habe ich Hunger. Ich kaufe mir einen Hot Dog und setze mich auf eine Bank. Gegen sechs kehre ich ins Hotel zurück. Nachdem ich mich geduscht und rasiert habe, ist noch etwas Zeit. Ich hole Wolfgangs Briefe aus dem Koffer und lege mich aufs Bett.

Zur Stärkung. Zur Ermutigung.

Die Briefe waren in das Tagebuch eingelegt. Sie habe ich behalten und nicht verkauft. Für die Welt sind sie vollkommen uninteressant; für meine Familie und mich besitzen sie jedoch einen enormen Wert.

Vorsichtig ziehe ich den ersten Bogen aus dem Umschlag. Das Papier fühlt sich trocken und glatt an, als wäre die Zeit einfach darüber hinweggegangen.

Meine geliebte Elfriede,

die schönste Frau, der ich auf meinen Reisen begegnet bin, hat als Geisha in Kyoto gelebt. Doch dann habe ich in Türnow am Brunnen haltgemacht und Dich gesehen …

Kann der Brief eines Mannes an eine Frau großartiger beginnen?

All die Sehnsüchte, die Wolfgang umgetrieben haben, laden plötzlich die Atmosphäre des Raumes auf. Auch ich werde in wenigen Minuten einer mir bislang unbekannten Frau begegnen. Genau genommen sogar zwei Frauen. Wird mein Leben dadurch ähnlich schicksalhaft beeinflusst werden wie das Wolfgangs, nachdem er auf Elfriede getroffen ist? Wie das Marthas, nachdem sie Ella kennengelernt hat? Bin ich, der bislang eher ziellos durch die Gegend gelaufen ist, Teil eines großen Plans, einer unsichtbaren Zeitschleife?

Kurz vor acht prüfe ich zum letzten Mal mein Aussehen im Spiegel – um ehrlich zu sein, gibt es nicht viel zu prüfen – und verlasse das Zimmer. Eine Minute später öffnen sich im Erdgeschoss die Türen des Lifts. Die Eingangshalle des *Four Seasons* ist voller Menschen in Abendgarderobe. Erwartungsvolle Spannung liegt in der Luft. Theaterbesuche, Galerieeröffnungen und Dinnereinladungen stehen an. Erstmals, seit ich in New York bin, spüre ich: Ich gehöre dazu.

Draußen auf der Straße entdecke ich einen livrierten Chauffeur, der ein diskretes Schild mit meinem Namen hochhält. Wenige Meter entfernt parkt ein schwarzer Mercedes. Der Fahrer hält mir die hintere Tür auf, und ich gleite in den Fond. Die dunkle Limousine fädelt sich in den abendlichen New Yorker Verkehr ein. Das Herz schlägt mir bis zum Hals. Mit einem Mal scheint alles ganz schnell zu gehen.

Marthas Tagebuch erzählt insbesondere die zwanziger Jahre ihres Lebens. Es wirft einen Schatten auf das folgende Jahrzehnt bis in die Mitte ihrer Vierziger, doch dann ist es unvermutet vorbei. Sie verschwindet spurlos.

Ihre Aufzeichnungen kennen weder ein Vorher noch ein Nachher. Ein Grund, weshalb ich zu schreiben begonnen habe: mein Wunsch nach Vervollständigung. Denn lässt sich nicht das Leben eines jeden Menschen als Roman betrachten? Dann wäre ein erfundener Anfang ebenso gut wie der echte. Vielleicht sogar besser – weil er das Ende kennt.

Leider trifft das in diesem Fall nicht zu. Ich weiß nicht, wie es mit Martha weitergegangen ist. Ihre Notizen enden mitten im Satz. Wieso? Was ist ihr zugestoßen?

Der Anfang, in Türnow, entspringt meiner Phantasie – aber letztlich hat er sich beinah wie von selbst geschrieben. Das Ende liegt noch vor mir, was immer das bedeuten mag. Vielleicht wage ich mich nach meiner Rückkehr nach Deutschland daran.

Nachdem der Chauffeur mich am Ziel abgesetzt hat, greift er grüßend an seinen Mützenschirm und wünscht mir einen angenehmen Abend. Dann fährt er davon. Ich bin allein. Zögernd wende ich mich dem Eingang des

Hotels zu, vor dem ein imposanter Farbiger in Portiersuniform steht.

Ich habe mich informiert. Laut Reiseführer öffnete das *Vista Hotel* seine Pforten bereits 1981. Anderthalb Jahrzehnte später wurde es an die *Marriott*-Gruppe verpachtet und nennt sich seitdem *Marriott World Trade Center.* Zu Füßen der Twin Towers gelegen, erinnere es viele New Yorker an eine Spielzeugeisenbahn ... Alles eine Frage der Perspektive, stelle ich fest, während ich den Blick zweiundzwanzig Stockwerke und stolze zweiundsiebzig Meter in die Höhe wandern lasse.

Höflich hält mir der Portier die Eingangstür zum Hotel auf. Die Empfangshalle des *Marriott World Trade Center* steht der des *Four Seasons* in nichts nach. Marmorboden, edle Hölzer und einige wenige wie zufällig verstreute Ledersessel. Das Ganze im tausendfach gebrochenen Licht eines gigantischen Kronleuchters. Etwa in der Mitte der Halle liegt linker Hand die Rezeption. Fragend wende ich mich an die sorgfältig geschminkte Frau im dunkelblauen Hosenanzug hinter der Empfangstheke und nenne meinen Namen.

»Suite 2201, oberstes Stockwerk, die Privatetage. Sie werden erwartet, Sir!«, lautet die Antwort.

Erst im Fahrstuhl wird mir klar, dass ich immer noch nicht weiß, wer mich eigentlich erwartet. Die Assistentin am Telefon hat nur von ihrer »Arbeitgeberin« gesprochen und auch die Frau an der Rezeption keinen Namen genannt. »Privatetage«. Sicher ist nur: Wer hier dauerhaft eine Suite bewohnt, muss über eine Menge Kohle verfügen.

Mit einem leisen Pling stoppt der Aufzug im zweiundzwanzigsten Stockwerk. Nahezu geräuschlos öffnen sich die Türen, und ich mache einen Schritt nach vorn. Ein schwarzer Pfeil auf einem Messingschild weist mich nach links. Ich folge der angegebenen Richtung, wobei ich bei jedem Schritt in einem hochflorigen Teppichboden versinke.

Die mahagonifarbene Zimmertür mit der Nummer 2201 ist nur angelehnt. Mit einem Mal überfällt mich eine Thrillerphantasie. In der Suite liegen mehrere Tote. Ich bin der Erste am Tatort, weiß nicht, ob der Mörder noch irgendwo lauert, als ich plötzlich einen Luftzug im Nacken spüre …

Stopp – ich nehme mir fest vor, egal, was gleich passiert, es mit nüchternem Blick und vor allem sachlich zu betrachten. Ich habe den Gedanken noch nicht ganz zu Ende gedacht, als die Tür von innen aufgezogen wird. Eine junge Frau in meinem Alter erscheint im Türrahmen.

»Willkommen«, begrüßt sie mich. »Treten Sie ein, ich hoffe, Sie hatten eine angenehme Fahrt. Walter ist für gewöhnlich ein sehr umsichtiger Fahrer.«

Es ist die Stimme vom Telefon. Eindeutig. Deutsch mit amerikanischem Akzent. Ihre Besitzerin tritt zur Seite und bittet mich mit einer kurzen Handbewegung ins Innere der Suite.

Was soll ich sagen?

Ich bin fünfundzwanzig und habe bis vor kurzem in Köln Germanistik studiert. Der Unidresscode lautet Jeans oder Jeans. Darüber ein T-Shirt oder ein Sweatshirt. Genau so bin ich gekleidet. Ehrlich gesagt, besitze ich gar keine anderen Kleidungsstücke.

Das Mädchen vor mir beweist, dass es eine Welt außerhalb der Uni Köln gibt, in der man sich eines anderen Kleidungsstils bedient. Sie trägt ein schlichtes schwarzes Kleid, das knapp oberhalb der Knie endet. Um ihren Hals liegt eine kurze Perlenkette. Aus dem hochgesteckten Haar haben sich ein, zwei dunkelbraune Strähnen gelöst, die ihre schmalen Züge einrahmen.

Insgeheim korrigiere ich mich – auch an der Uni Köln gibt es solche Mädchen, aber sie studieren nicht Germanistik, sondern Jura.

»Kommen Sie, ich bringe Sie in den Salon zu Ihrer Gastgeberin.« Sie lächelt, wobei ihr Blick distanziert bleibt.

Wir betreten vom Flur aus einen großen Raum, dessen Wände dicht an dicht mit Fotos aus der Ballettwelt bedeckt sind. Neugierig betrachte ich die kunstvollen Porträtaufnahmen der Solotänzer und Primaballerinen, die sich mit verwackelten Schnappschüssen und Amateurbildern aus unterschiedlichen Inszenierungen abwechseln. Die Aufnahmen sind offenbar chronologisch geordnet, denn an der hinteren Wand werden die Schwarzweißfotos durch Farbbilder abgelöst – bis die Reihe abbricht. Abrupt und unvermittelt. Die letzte Aufnahme zeigt einen Mann Ende fünfzig, Anfang sechzig, mit pechschwarzer Mähne. Er hält einen jungen Tänzer im Arm. Beide lachen glücklich. Das Bild muss kurz vor dem Tod des älteren Mannes entstanden sein. Seine Züge sind ausgezehrt. Er wiegt maximal noch dreißig Kilogramm.

Es riecht alt.

Die Luft im Salon riecht alt. Man könnte annehmen, dass es an den Büchern liegt, die in dem deckenhohen Regal in einer Ecke stehen. Oder an den schweren dunkelgrünen Samtvorhängen, die vor die Fenster gezogen sind und die abendlichen Lichter New Yorks aussperren. Lediglich der matte Schimmer einiger Steh- und Tischlampen erhellt den Raum.

Aber es ist nicht die Einrichtung, sondern die winzige Frau, die aufrecht in einem Sessel vor dem kalten Kamin sitzt, von der der Geruch ausgeht.

Durchdringend, trocken. An etwas sehr Altes und Kostbares erinnernd. Vielleicht hat Howard Carter eine ähnliche Wahrnehmung gehabt, als er zum ersten Mal die Grabkammer Tutenchamuns betreten hat.

Die alte Dame zeigt keine Reaktion. Nur ihre Augen sind wie eine Kamera auf mich gerichtet. Hellwach, klar. Eine Hand umklammert den silbernen Knauf ihres Gehstocks. Zwischen großen Altersflecken schlängeln sich die Venen wie bläuliche Würmer hindurch.

»Das ist Ihre Gastgeberin«, erklärt die junge Frau, die neben mir an der Tür stehen geblieben ist. »Sie möchte zunächst ein paar Worte mit Ihnen allein wechseln. Ich werde später, zum Dinner, wieder dazustoßen.« Bevor sie geht, weist sie auf einen kleinen Tisch, auf dem sich eine Karaffe mit einer bronzefarbenen Flüssigkeit und zwei Gläser befinden. »Bitte bedienen Sie sich, der Sherry ist sehr gut.« Sie wendet sich ab, um hinauszugehen. Mein Blick bleibt an ihren makellosen Beinen hängen.

Da ich nicht weiß, was von mir erwartet wird, trete ich an den Tisch und frage die alte Dame: *»Would you like a drink?«* Erst jetzt bemerke ich, dass nicht nur der Sherry bereitsteht. Auf dem Tisch liegt noch etwas anderes.

Rechteckig. Schwarz.

Marthas Tagebuch.

Ich habe es zuletzt vor drei Monaten in den Händen gehalten, kurz bevor ich es widerstrebend dem Gutachter von Sotheby's überließ. Fasziniert wende ich den Blick ab und warte auf die Antwort der alten Frau.

»Ja, bitte«, sagt sie schließlich zu meiner Überraschung auf Deutsch.

Es fällt mir schwer, ihr Alter zu schätzen, aber sie muss jenseits der achtzig sein. Sie hat sich fabelhaft gehalten. Ihr weißes Haar ist voll und gut frisiert, die dunklen Augen funkeln.

»Bitte setzen Sie sich neben mich, junger Mann.« Sie zeigt auf den freien Sessel zu ihrer Rechten. Ich reiche ihr den Sherry und nehme Platz.

Sie hebt das Glas und prostet mir zu. »Ich danke Ihnen, dass Sie meiner Einladung gefolgt sind. Wie sagten Sie gleich, laute Ihr vollständiger Name?«

Ich habe mich nicht vorgestellt, da ich davon ausging, sie wisse, wen sie zum Dinner eingeladen hat. Dennoch antworte ich höflich: »Thomas. Thomas Wetzlaff.«

»Interessant.« Ein seltsamer Ausdruck tritt in ihre Augen. »Das ist Marthas Mädchenname, nicht wahr?« Sie deutet auf den kleinen Tisch, auf dem das Tagebuch liegt. »Wetzlaff?«

»Ja«, bestätige ich, »und gleichzeitig der Name meiner Großmutter.«

»Das heißt Martha und Ihre Großmutter …?«

»Ja, meine Großmutter wurde vor Marthas Hochzeit geboren. Sie haben damals versucht, es möglichst geheim zu halten. Später ist Oma ebenfalls schwanger geworden, hat aber nie geheiratet. So hat sie den Namen Wetzlaff behalten. Ihr Vorname lautet Hedi. Sie ist Marthas Tochter und im vergangenen Jahr verstorben.«

»Das tut mir leid. Aber richtig«, sie hebt den knotigen Zeigefinger, »es ging ja sogar hier durch die Presse.

Was für eine Geschichte: *Treuer Enkel findet im Nachlass seiner verstorbenen Großmutter eine Kunstsensation! Die Fachwelt hält den Atem an!* Doch«, ihr Tonfall ist immer noch freundlich, »ich weiß, dass Sie ein Betrüger sind, Mister Wetzlaff, oder wie immer Sie in Wirklichkeit auch heißen mögen!«

Türnow

(1924–1939)

Der leise Gesang der Schienen. Das ferne Stampfen von Kolben und Kurbelwellen. Die Gleise beginnen zu vibrieren. Ein tiefer Ton liegt in der Luft. Endlich der langgezogene Pfiff der Lokomotive.

Musik in Ottos Ohren.

Seit einer halben Stunde stehen sie da und warten. Eigentlich warten sie schon seit einer Woche. *Komme nach Hause.* Marthas Nachricht ist kurz gewesen. Und überraschend.

Mützen, Handschuhe, Mäntel, Schals. Sommer und Herbst sind längst vorbei, die Weihnachtsferien nur noch drei Wochen entfernt. Doch sein Marthchen kommt nach Hause, denkt Otto. Jetzt schon. Warum so plötzlich?

So stehen sie auf dem Bahnsteig und warten – Elfriede, Wolfgang und er selber. Selbst Johann ist gekommen.

Sie stehen und warten auf Martha.

Der mittlere Waggon hält nur wenige Meter von ihnen entfernt. Die Wagentür öffnet sich, und es erscheint ein Koffer. Eine Hand, ein Arm. Schließlich Martha in vertrauter Gänze. Vorsichtig steigt sie vom Trittbrett auf den Bahnsteig herab. Vorsichtig, um nicht auf dem vereisten Boden auszurutschen.

Vorsichtig, weil sie im anderen Arm ein Bündel trägt.

□ △ ○

Das große Haus ist alt. Hat viel gesehen und gehört im Laufe seiner langen Existenz. Doch selten ist es so still gewesen in seinen Mauern.

Elfriede, Otto, Wolfgang und Martha sitzen im guten Zimmer. Johann ist ebenfalls mitgekommen.

Es gibt keine vollkommene Stille. Immer findet sich ein Hauch von Wirklichkeit. In diesem Fall friedlich atmend, die Augen geschlossen.

Otto deutet auf das winzige Wesen in Marthas Arm. »Ein Neugeborenes, nicht wahr?«

Martha bemerkt, wie Elfriede den Blick senkt. Otto, der Weltenerklärer.

Martha antwortet: »Ein neugeborenes Mädchen, um genau zu sein.«

»Möchtest du darüber sprechen?«

»Ja.«

»Wer ist der Vater?«

»Darüber möchte ich nicht sprechen.«

»Aha.«

Erneut legt sich Stille über den Raum. *Merkwürdig*, denkt Martha, *niemand fragt nach der Mutter*. Sie sagt: »Die Kleine hat noch keinen Namen. Sie wurde erst vor zwei Tagen geboren.«

Otto blickt zu Elfriede. Dann zu Wolfgang und Johann. Er wendet sich wieder an Martha. »Hat man schon auf euch«, er zeigt auf das Wunder in Marthas Arm, »angestoßen?«

Ein Lächeln tritt auf Marthas Züge. »Nein, bislang nicht.«

»Elfriede, bring den Aufgesetzten!«

Das große Haus ist alt. Es hat viel gesehen und gehört im Laufe seiner langen Existenz. Doch selten ist so andächtig getrunken worden in seinen Mauern.

Nach einer Stunde lassen Elfriede, Martha und das jüngste Familienmitglied die Herren allein. Nach einer weiteren Stunde bemerkt Otto glücklich: »Ich bin Großvater!«

Zehn Minuten später ergänzt Wolfgang: »Ich auch!«

Nur Johann kippt schweigend Glas um Glas. Er mag nach wie vor keinen Alkohol.

□ △ ○

Es schneit in dicken Flocken. Die Art von Schnee, die die Welt in Watte packt und zu einem besseren Ort macht, als sie es in Wirklichkeit ist.

Otto steigt die Stufen zum Rathaus empor. Der Gang leicht unsicher, was nicht allein der ungeräumten Treppe geschuldet ist. Die Ankunft der neuen Mitbewohnerin im großen Haus ist gebührend gefeiert worden.

»Wie heißt die Mutter?« Der Standesbeamte betrachtet Otto durch seinen Zwicker.

»Martha Wetzlaff.«

»Geborene …?«

»Ähem … Wetzlaff. Meine Tochter ist nicht verheiratet.«

Der Standesbeamte runzelt die Stirn. »Und wer ist der Vater?«

»Das weiß keiner. Also … natürlich weiß meine Tochter es«, beeilt Otto sich hinzuzufügen, »aber sie sagt es nicht.«

Er sackt ein wenig zusammen.

»Junge oder Mädchen?«

»Ähem … Mädchen.«

»Wie soll es heißen?«

»…«

□ △ ○

»Sag, dass es nicht wahr ist!«

Unglücklich starrt Otto in die blitzenden Augen seiner Tochter.

»Hedwig? Du hast als Namen für die Kleine *Hedwig* angegeben?«

»Es ist eine schwierige Situation gewesen«, erklärt Otto. »Ich habe mich nicht sehr wohl gefühlt.« Er zuckt entschuldigend mit den Schultern. »Mir ist der richtige Name nicht eingefallen.«

»Lydia! Sie hätte Lydia heißen sollen!«

»Jetzt, wo du es sagst …«

Martha betrachtet ihn skeptisch. »Du hast tatsächlich Hedwig in die Geburtsurkunde eintragen lassen?«

Otto nickt. Dann schlägt er vor: »Wir könnten sie Hedi rufen. Was hältst du davon?«

Und so geschieht es.

Lydia heißt Hedwig, trägt aber weder den einen noch den anderen Namen. Weder den, den ihre Mutter, noch den, den Otto für sie vorgesehen hat.

Lydia heißt Hedwig, wird aber Hedi genannt.

Von allen.

Für immer.

□ △ ○

Doktor Goldstein kommt ins Haus. Um Hedi zu untersuchen. Elfriede und Martha weichen nicht von seiner Seite.

Der Arzt hört mit seinem Stethoskop Herz und Lungen ab. Er prüft die Reflexe. Vorsichtig drückt er mit zwei Fingern auf den kleinen Bauch. Er richtet sich auf und blickt Elfriede an.

Nicht Martha.

»Es ist alles in Ordnung.«

Elfriede löst die vor der Brust verkrampften Finger. Sie hebt den Kopf und richtet den Blick nach oben, zur Decke. Durchs Dach. In den Himmel. Sie sieht zu einem fernen Ort.

»Danke«, flüstert sie nahezu unhörbar.

Neben Doktor Goldstein steht ein schlanker Mann von Mitte, Ende zwanzig. Mit einem Nicken bestätigt Heinzchen Doktor Goldsteins Einschätzung.

Verstohlen blickt Martha zur Seite.

Zu Elfriede.

Die Dinge kommen wieder ins Gleichgewicht.

□ △ ○

Johann stammt vom Bauernhof. Wie schon sein Vater. Und dessen Vater davor. Sie alle sind im Landkreis Türnow geboren und aufgewachsen. Haben dort ihre Mädchen und späteren Ehefrauen kennengelernt. Niemand wäre auf den Gedanken verfallen, die Gegend zu verlassen.

Mit Ausnahme von Martha.

Sie verwirrt ihn. Hat ihn von Anfang an verwirrt. Welche junge Frau bittet einen Mann unaufgefordert zum Tanz? Und welche junge Frau geht dann einfach weg – studieren?

Keine, die man heiratet.

Wenn sie dann Jahre später wieder in die Heimat zurückkehrt, hat man Grund zu hoffen. Bis man das Kind in ihrem Arm sieht. Welche junge Frau wird vor der Ehe schwanger?

Sicher keine, die man heiratet.

Es sei denn, sie verwirrt einen. Verwirrt einen kolossal. Von Anfang an. Dann fragt man:

»Willst du mich heiraten?«

Martha schweigt.

»Ich weiß, du liebst mich nicht so, wie ich dich liebe!«

Martha antwortet nicht.

»Aber es ist mir egal. Das Kind braucht einen Vater. Und du einen Mann. Wir leben in Türnow. Glaub mir, du wirst nicht anders glücklich!« Nur selten braucht Johann so viele Worte. Und doch sind noch welche übrig. »Fünf Jahre lang habe ich versucht, dich zu vergessen. Und fünf Jahre lang habe ich es nicht geschafft.«

Martha braucht ebenfalls nicht viele Worte.

Nicht von Johann. Und nicht vom Leben.

Sie ist fünfundzwanzig und hat das Gefühl, das Wichtigste sei bereits gesagt.

□ △ ○

Die Hochzeit ist schlicht. Der Pfarrer besteht darauf, dass Martha nicht in Weiß heiratet. Überhaupt traut er sie nur in der Kirche, weil Otto und die Kapelle seit vielen Jahren an den hohen Feiertagen unentgeltlich spielen.

Vorn in der Bank schnäuzt Otto sich in sein Taschentuch. Elfriede hält seine Hand. Neben ihr Wolfgang – mit feuchten Augen.

Der engste Kreis. Die Familie.

Johann steckt Martha den Ring an die Hand.

In der Bank hinter ihm: seine Eltern. Der Bauer und seine Frau. Schweigend. Johann hat sie informiert.

Nicht um Erlaubnis gebeten. Es ist ohnehin schon alles verwirrend genug.

Das Hochzeitsessen findet im *Schützenhof* statt. Da, wo Martha und Johann sich erstmals begegnet sind. Bei ihrem ersten Tanz.

Marthas Gedanken gehen zurück nach Weimar.

Zu ihrem letzten Tanz.

□ △ ○

Sie hat das Zimmer bei Louis gekündigt. Sich von ihm und seiner Frau verabschiedet.

Dann ist sie hochgegangen zu Ella. Seit wenigen Wochen wohnt Ella wieder in ihrem Elternhaus. »Vorübergehend«, hat sie betont.

Fehlende Worte.

Für immer.

Später, in der Kantine, der andere Abschied. Laut und stürmisch. Der Bauhaus-Tanz. Schlemmer, Fräulein Grunow und all die anderen.

Gropius hält ihr einen Umschlag hin.

»Was ist das?«, fragt Martha.

Der Direktor spannt die Kiefermuskeln an. »Ein Brief, den mir der ursprüngliche Besitzer Ihrer Brosche vor vielen Jahren geschrieben hat. Ich wünschte, Meister Itten wäre hier. Er wüsste, was zu tun ist. Ich nicht.« Er gibt Martha den Umschlag. »Bringen Sie ihn Ihrem Freund Wolfgang zurück und richten Sie ihm aus, die Botschaft sei angekommen. Ich wünsche ihm und Ihnen alles Gute!«

Martha nickt. Maßlos überrascht. Wolfgang und Walter Gropius kennen sich?

Sie betrachtet Gropius. Seine Züge wirken gleichzeitig fremd und vertraut. Sie kann nicht sagen, was es ist.

Er nickt ihr zum Abschied zu, dreht sich um und taucht in der Menge der feiernden Studenten und Meister unter. Zigarren- und Zigarettenqualm hängt in der Luft. Die Bauhaus-Kapelle spielt wild und ausgelassen. Wie immer sind alle außer Rand und Band. Ein weiteres der zahllosen Feste am Bauhaus – mit oder ohne Anlass. Es wird nicht mehr viele geben. Der Kehraus steht vor der Tür.

Als sähe sie sie zum ersten Mal, betrachtet Martha die Inschrift an der Wand über der Durchreiche zur Küche. Dort steht in eckigen Buchstaben:

Das Bauhaus ist nur Schule.

Lehrer bleibt das Leben.

□ △ ○

Die Hochzeitsnacht entfällt. Aus zwingenden Gründen. Hedi schreit das Haus zusammen. Alle stehen auf. Auch Otto und Elfriede.

Johann stochert im Ofen herum. Auf der Suche nach Wärme.

Martha beobachtet, wie die Amme Hedi stillt. Sie selber kann es nicht, ihre Brüste sind leer.

Leise fragt sie in die Runde: »Seid ihr mir böse?«

Johann hält inne. Otto und Elfriede blicken sich an.

Wie immer ist es Otto, der spricht. Dicht am Thema. »Weine nicht über verschüttete Milch!«

Später liegen Martha und Johann wieder im Bett. Das Licht ist gelöscht, Hedi in ihrer Wiege eingeschlafen.

Satt. Zufrieden.

In das Dunkel hinein sagt Johann: »Fünf Jahre sind eine lange Zeit. Wen hast du kennengelernt in Weimar?«

»Ella«, antwortet Martha.

»Ella?«, fragt Johann.

»Ja, Ella.« Martha merkt, wie sich ihr Körper versteift. »Wir werden uns nicht wiedersehen. Das ist fest versprochen ...«

Die Hochzeitsnacht wird nicht vollzogen.

Weder in dieser noch in einer anderen Nacht.

Hedi bleibt allein.

□ △ ○

»Es gibt keinen Weg zurück?«, fragt Otto.

»Nein«, antwortet Martha, »sie müssen das Bauhaus in Weimar schließen. Gropius und die anderen ziehen nach Dessau um. Ich nicht. Ich bleibe mit Hedi hier!«

Otto nickt – nachdenklich. »Fünf Jahre sind eine lange Zeit, Marthchen. Was hast du gelernt am Bauhaus?«

Martha überlegt.

Sie hat sich verändert.

Die Welt um sie herum hat sich verändert.

Sie wird sich weiter verändern, die Welt. Vielleicht gibt es Platz für neue Ideen. Für eine Verbindung zwischen Türnow und dem Bauhaus. Zwischen der alten und der neuen Zeit, wie Ella sagen würde.

»Tanzen«, antwortet sie.

Ihre Worte leuchten in der Stille.

□ △ ○

Otto folgt dem Fluss und biegt ab zu den Fischteichen. Bereits von weitem erkennt er Johanns breite Schultern, seine seitlich geneigte Gestalt.

»'n Abend«, grüßt er und tritt neben seinen frischgebackenen Schwiegersohn.

Johann nickt schweigend. Er zieht an dem Seil in seinen Händen. Die aus Weidenruten geflochtene Reuse durchbricht die Wasseroberfläche. Leer. Eine Seite beschädigt, die Fische auf und davon.

»Verdammter Marder«, knurrt er.

Otto zieht zwei Zigarren aus der Jackentasche. »Kleine Pause?«

Johann nickt erneut und holt die Reuse ganz ein, indem er das Seil um Hand und Ellenbogen wickelt. Nachdem er fertig ist, streift er die Rolle ab und greift nach der Zigarre in Ottos Hand. Friedlich paffend, stehen Schwiegervater und Schwiegersohn nebeneinander und betrachten die im Abendlicht schimmernde Oberfläche des Teichs.

»Sag, Johann, was verdienst du so als Knecht?«

»Nicht viel.«

»Und mit deiner zusätzlichen Arbeit, hier an den Fischteichen und hinten in der Molkerei?«

»Noch weniger.«

Otto ist vorbereitet. Johanns Antworten überraschen ihn nicht. Weder in Kürze noch Inhalt. »Ist *nicht viel* und *noch weniger* genug, um eine Familie zu ernähren?«, fragt er ruhig.

Johann mustert eingehend die Zigarre zwischen seinen schwieligen Fingern. Sanft kräuselt sich von einem Ende ein Rauchfaden in die Luft. »Es muss gehen!«

Otto blickt weiter auf den still daliegenden Teich.

Dann dreht er den Kopf und deutet auf die hünenhafte Statur seines Schwiegersohnes. »Was geht, geht auch anders. Lerne Bass und Tuba. Das passt zu dir!«

»Wer, ich?« Johann könnte nicht erstaunter reagieren, wenn Otto ihm vorgeschlagen hätte, über das Wasser zu wandeln.

»Du wirst in der Kapelle spielen. Verdienst dann zwar immer noch nicht viel, bist aber tagsüber zu Hause. Und könntest helfen«, ergänzt Otto. »Mein Marthchen ist bei mir gewesen. Wir haben gesprochen. Sie hat eine Idee.«

□ △ ○

Eine Idee? Ist es das, was bleibt?

Martha faltet die nächste Windel. Menschen und Generationen wechseln. Hedi wird wachsen und gedeihen. Lediglich die Zeit trägt ein anderes Gewand.

Eine Idee? Ist es das, was von Ella bleibt?, fragt sie sich. *Die Idee einer arbeitenden Frau? Der ihr Beruf, ihre Karriere über alles gehen?*

Sie betrachtet den Stapel Bügelwäsche, der sich neben ihr auftürmt. Ja, sie arbeitet ebenfalls – aber in Haus und Garten. Das ist viel und doch zu wenig.

Sie will eine andere Arbeit; eine zusätzliche. Eine Arbeit, die keine Arbeit ist. Jedenfalls nicht für sie. Sie will so sein wie Ella und sich gleichzeitig von ihr unterscheiden.

□ △ ○

Sie gehen die *Lange Straße* entlang. Johann und Martha. Die Lange Straße – Türnows Hauptgeschäftsstraße und Lebensader. Wo eine Lange Straße ist, existiert auch eine *Kurze.* Jenseits des Flusses, von der Lebensader abgeschnitten.

Man spricht Deutsch mit Akzent in der Kurzen Straße.

Seit einigen Jahren gibt es den »Korridor«. Zwischen dem Deutschen Reich und Polen. Und damit eine neue Grenze. Beschlossen im fernen Versailles.

Johann schiebt mit einer Hand sein Fahrrad. An der anderen Seite hat Martha sich bei ihm eingehängt. Ihr Blick gleitet über die Fassaden. Über den Geschäftseingängen finden sich neben den alteingesessenen, fremd klingende Namen. Zwischen Metzger Malottke und Pommerenigs Milchladen ist nun die Schusterei Szymacek. Zwei Häuser weiter hat das Kino Jankowski seine Pforten eröffnet.

Am Ende der Langen Straße lehnt Johann sein Fahrrad an eine Mauer. Gemeinsam betreten sie das große graue Gebäude mit den schwarzen Sprossenfenstern. Der Geruch von Druckerschwärze und feuchtem Papier schlägt ihnen entgegen. In der Ecke ein Lehrling, der das Rad einer großen Papierpresse dreht. Ein weiterer Lehrjunge legt weiße Bögen nach. Hinten, aus dem Büro, winkt ihnen jemand zu.

Martha geht voran.

Sie ist die Chefin. Darauf haben sie sich geeinigt. Martha und Johann.

□ △ ○

Karl Theodor Walen ist ein kleiner Mann mit einem großen Schnäuzer. Außerdem Besitzer von Türnows einziger Druckerei.

»Ihr Schild ist pünktlich fertig geworden, Fräulein Wetzlaff, ähem … ich meine selbstverständlich Frau Styp. Übrigens, herzlichen Glückwunsch zur Hochzeit. Ich habe erst unlängst davon erfahren. Sie haben offenbar im kleinen Kreis gefeiert«, setzt er versuchsweise hinzu.

»Danke«, antwortet Martha. Johann schweigt.

Die Wände des Büros sind dicht an dicht mit Erzeugnissen Walen'scher Druckkunst bedeckt. Neben Ankündigungen längst vergangener Schützenfeste finden sich Geburts-, Hochzeits- und Beerdigungsanzeigen. Eine große Karte des Deutschen Reiches mit ungewohnten Grenzziehungen verdeckt zur Hälfte den Hinweis auf ein Konzert, das Otto und die Kapelle im letzten Jahr gespielt haben.

Walen, der Marthas Blick gefolgt ist, sagt: »Die Partei hat das Deutsche Reich in Gaue aufgeteilt. Ich wurde zum Gauleiter Pommern ernannt!« Seine Augen funkeln stolz.

»Die Partei?«, fragt Martha.

»Ja«, antwortet Walen, »die NSDAP hat hier im Osten hervorragende Wahlergebnisse erzielt! Meine Druckerei fertigt sogar eine Tageszeitung an.« Er nimmt ein druckfrisches Exemplar von seinem Schreibtisch und reicht es Martha. »Hier finden Sie die Wahrheit über die Lage in Europa. Anders als bei der kommunistischen Lügenpresse! Nicht mehr lange und der Korridor ist wegradiert und das polnische Gesindel aus unserer schönen Stadt vertrieben!« Ein paar Speicheltropfen haben sich in seinem Schnäuzer verfangen.

»Verzeihen Sie«, sagt Martha, »wir sind gekommen, um unser Schild abzuholen.«

»Natürlich, Sie haben recht.« Walen bückt sich und hebt ein großes bedrucktes Rechteck vom Boden hoch. Er hält es ihnen hin. »Hier ist es! Wie gefällt es Ihnen?«

Statt Martha antwortet Johann. Es sind seine ersten Worte, seit sie die Druckerei betreten haben. Er blickt zu seiner frisch angetrauten Ehefrau.

»Es wird gehen«, sagt er, »nicht wahr?«

□ △ ○

Sie gehen die Lange Straße zurück – am Kino Jankowski und an Pommerenigs Milchgeschäft vorbei. An Schuster Szymacek und Malottkes Metzgerladen. Hinter der Kirche biegen sie ab und folgen dem Flussufer. Johann hat das Schild auf dem Gepäckträger seines Fahrrads befestigt. Mit einer Hand hält er den Lenker fest, mit der anderen das sperrige Gepäckstück.

Martha deutet auf die Zeitung, die sie trägt. Walen hat darauf bestanden, dass sie sie mitnimmt. Sie zeigt auf das schwarz-weiße Symbol in deren Kopf. »Ich kenne dieses Zeichen. Sie haben es zwei Freunden auf die Stirn geschmiert; damals in Weimar. Ich hoffe, in Türnow geschieht nicht irgendwann das Gleiche.«

Sie erzählt Johann von dem Überfall auf Umbo und Marcel Breuer nach dem Laternenfest. Es ist, als ob sie aus einem fremden Land berichtet. Von einer Welt, die sich immer mehr entfernt. Bis sie eines Tages vollkommen verschwunden sein wird.

Johann schweigt. Eine volle Minute lang. Dann fragt er: »Ist es einer von beiden?«

»Ist einer von beiden was?«

»Hedis Vater …«

Das Sonnenlicht bricht sich auf der Oberfläche des Flusses. Über dem Wasser schweben Libellen in elegantem Flug. Grün glitzernde Edelsteine, die eine unsichtbare Hand in die Luft geschleudert hat.

»Nein«, entgegnet Martha.

»Kannst du es beschwören?«

»Ja.«

Stumm setzen sie ihren Weg fort. Die Luft ist mild und klar. Am großen Haus nimmt Johann das Schild vom Gepäckträger. Versuchsweise hält er es an die Wand neben der Eingangstür. »Was denkst du?«

Martha betrachtet die weiße Holztafel in seiner Hand. Am Bauhaus hat sie eine Vielzahl aufwendig gestalteter Plakate gesehen. Verrückte Typographien und künstlerische Gestaltung kennengelernt. Im Vergleich dazu ist das Schild vor ihr mehr als schlicht. Dennoch gefällt es ihr. Sehr sogar.

Sie blickt zu Johann. Dann wieder auf das Schild.

»Tanzstudio Styp«, liest sie laut. »Das sind du und ich und Hedi. Es wird gehen, ganz bestimmt!«

□ △ ○

Eins, zwei, drei. Eins, zwei, drei. Walzer ist kein Hexenwerk. Im Gegenteil, denkt Wolfgang.

Es muss zwei Jahre her sein, dass Otto und Johann gesprochen haben. Unten am Fischteich. Johann sei ein Naturtalent, behauptet Otto. Naturtalent? Wolfgang überlegt.

Johann spielt Bass und Tuba, wie er Holz spaltet und sein Bötchen rudert. Rhythmisch. Er tut das, was ein Bassist tun muss – verlässlich. In der Musik wie im Leben.

Wolfgang mustert die überschaubare Anzahl Tanzschüler vor ihnen im umfunktionierten Proberaum des großen Hauses. Zwei, drei schlaksige Jungen, ein rotwangiges Mädchen. Zwei weitere Mädchen, die aufgeregt miteinander kichern.

Und der obligatorische Dicke.

Einer ist immer dabei.

Wolfgang beobachtet, wie Martha, ihren schwergewichtigen Tanzpartner im Arm, den Schülern ein paar neue Schritte zeigt. Sie ist immer schlank gewesen, hat aber in den beiden zurückliegenden Jahren noch einmal abgenommen. Sie geht an fünf Tagen die Woche putzen – bei Doktor Goldstein privat und oben in der Burg, im Lehrerinnenseminar. Abends ist dann Tanzkurs, zweimal die Woche. Dazwischen Hedi, gewissermaßen immer.

Das Tanzstudio Styp nimmt nicht viel Geld für seine Schülerkurse. Dennoch ist das wenige in Zeiten der Wirtschaftskrise den meisten Eltern zu viel.

Damals, wenige Wochen nach ihrer Rückkehr aus Weimar, ist Martha in sein Zimmer getreten. In der einen Hand ein großes Schild, in der anderen einen Briefumschlag.

»Was zuerst?«, hat sie gefragt.

Ihre Züge sind weich, weiblich, ihr Haar schimmert wie Ebenholz. Sie ähnelt Elfriede enorm. Nie ist sie ihm schöner vorgekommen.

Er deutet auf das Schild. »Was ist das?«

Mit einer raschen Handbewegung dreht sie es um, so dass er die Beschriftung lesen kann: *Tanzstudio Styp*.

Leise fragt sie: »Würdest du mithelfen?«

»Bin ich für einen Eintänzer nicht zu alt?«

Martha lächelt. »Vielleicht, aber für den Anfang würde es genügen, wenn du Klavier spielst.«

Er hat genickt und zugestimmt und gehört seitdem zum festen Inventar des Tanzstudios. Er und Johann. Duo. Klavier und Bass. Die Schüler folgen ihnen auf dem Fuß.

Dann hat er auf den Umschlag in ihrer Hand gezeigt. »Ich nehme an, du hast meinen Arbeitsvertrag schon vorbereitet?«

Martha zögert. »Nein, das ist ein Brief von Walter Gropius. Er hat ihn mir beim Abschied gegeben. Er ist für dich. Ich soll ihn dir zurückgeben.« Sie mustert ihn fragend. »Warum hast du mir nicht erzählt, dass ihr euch kennt?«

Wolfgang beißt sich auf die Unterlippe. »Hat Gropius noch mehr gesagt?«

»Nur, dass die Botschaft angekommen sei.«

Wolfgang fragt: »Hast du den Brief gelesen?«

Sie blickt ihm in die Augen. »Nein.«

Er kehrt mit den Gedanken in die Gegenwart zurück. Eins, zwei, drei. Eins, zwei, drei. Ihre kleine Welt dreht sich im Dreivierteltakt. Jeder Tanz hat seinen Rhythmus, jede Wahrheit ihre Zeit. Die für Martha und ihn ist noch nicht gekommen.

□ △ ○

»Vielleicht ist es das Wort *Studio*, das die Menschen abschreckt?« Otto, skeptisch. »Möglicherweise wäre Schule passender. Tanz*schule* Styp.«

»Es ist mehr als eine Tanzschule. Es ist ein Tanz*studio*!«

Martha, trotzig.

Zwei weitere Jahre sind vergangen. Die Zahl der Tanzschüler ist konstant geblieben.

Konstant schlecht.

Otto kann auch anders. Ironisch. »Wenn ich richtig informiert bin, unterrichtest du nur Tanzschüler, keine speziellen Talente fürs *Studio* ...«

»Das wird sich ändern. Ab morgen gibt es eine Kandidatin.«

»Wen?«

»Hedi. Sie wird das Eis brechen!«

Und so avanciert Hedi, vier Jahre alt, zu Türnows erster Ausdruckstänzerin. Ohne es zu wissen. Wozu auch?

□ △ ○

Sie nehmen den großen Karren, mit dem sonst die Kapelle zu ihren Auftritten fährt. Wenn sie zusammenrücken, finden etwa zwanzig Musiker und ihre Instrumente auf der Ladefläche Platz. Ottos Bass fährt vorne. Auf dem Bock. Da, wo jetzt Johann, Martha und Hedi sitzen. Allein. Ohne Otto. Und ohne die Kapelle.

»Bin ich schon einmal auf dem Schlachtfest gewesen?«

»Ja«, antwortet Martha, »im letzten Jahr. Aber da warst du erst drei. Wahrscheinlich kannst du dich nicht daran erinnern.«

Hedi schüttelt den Kopf.

Johann sagt: »Onkel Alfons schlachtet einmal im Jahr. Wir fahren immer hin, um zu helfen.«

»Sterben die Tiere gerne?« Hedi kaut an einem ihrer Zopfenden.

»Niemand stirbt gerne«, antwortet Johann. Er denkt an das dunkelrote Fleisch der geschlachteten Rinder. Die von der Decke baumelnden Schweinehälften. An das Schwarzsauer, das sie aus dem Gänseklein gewinnen und das die Polen Blutsuppe nennen. Er denkt an pralle Würste und fettes Schweineschmalz.

Der Krieg ist seit fast einem Jahrzehnt vorbei, doch die Zeiten sind schlecht. Martha und er haben nur wenig Geld, aber dank des Hofes seines ältesten Bruders gibt es meistens genug zu essen im großen Haus.

»Besser sie als wir«, setzt er rau hinzu.

□ △ ○

Da ist die Brücke. Und das große Haus. Hedi tanzt auf der Wiese am Flussufer.

Sie sagt nicht tanzen. Sie nennt es *atmen*. Sie atmet die Musik, die sie in ihrem Inneren hört. So wie sie es beigebracht bekommen hat.

»Fühl nicht nach vorne, ins Publikum. Horch in dich rein! Was du hörst, lässt du in Arme und Beine fließen. Denk nicht darüber nach. Tu es einfach. So wie du atmest, ohne groß darauf zu achten.«

Fünfjährige Mädchen sind nicht unbegrenzt aufnahmefähig. Dementsprechend mögen die Feinheiten von Marthas Ausführungen auf der Strecke geblieben sein. Doch das Entscheidende ist angekommen. Und wird weitergegeben.

»He, was tust du da?« Der kleine Junge ist nicht viel älter als Hedi. Er tritt aus dem Schutz der Uferbüsche.

»Ich atme!«

»Und warum wackelst du dabei so komisch mit den Armen und Beinen?«

»Darum!«

So viel Weisheit in einem einzigen Wort.

Neugierig mustert Hedi ihr erstes fremdes Publikum. Kahlgeschoren. Ein dunkler Schimmer auf der Kopfhaut. Die Ohren stehen energisch ab. »Willst du es lernen?«

»Was?«

»Atmen.«

»Kann ich schon …«

»Komm mit!«, befiehlt Hedi.

□ △ ○

»Wie heißt du?«, fragt Martha den Jungen.

»Adam.«

»Und wo wohnst du?«

»Kurze Straße!« Er deutet mit einer unbestimmten Geste hinter sich.

»Du willst also tanzen lernen?«

»Nö.«

»Aber weshalb …?«

»Sie hat gesagt, ich soll mitkommen!« Sein Akzent ist nicht zu überhören. Er zeigt auf Hedi.

»Es ist so langweilig alleine, Mami. Bitte!« Hedi verzieht die Lippen zu einem Schmollmund.

Martha erhält für ihre wenigen Tanzschüler nicht viel Geld. Von den Eltern eines kleinen polnischen Jungen aus der Kurzen Straße bekäme sie aller Wahrscheinlichkeit nach gar keines.

Aus den Augenwinkeln sieht sie, wie Heinzchen neben dem kleinen Jungen lautlos die Lippen bewegt.

Arbeit, die keine Arbeit ist. Sag nicht, du bekommst gar nichts.

□ △ ○

»Du hast eine Anfrage von Walen abgelehnt …« Der Bürgermeister drischt einen Buben auf den Tisch.

»Ja«, antwortet Otto.

»Was für eine Anfrage?« Doktor Goldstein bedient Trumpf.

»Er sollte auf einer Veranstaltung spielen, die Walen in Stettin organisiert hat. Aber Otto hat abgesagt. Den Herrschaften, die deinem Volk nicht ganz so freundlich gesonnen sind, Goldstein.« Der Bürgermeister zieht an seiner Zigarre.

»Ich wäre an deiner Stelle vorsichtig, Otto«, mahnt Alfred Puttker. Der Gutsherr lehnt sich zurück, so dass sein mächtiger Bauch gegen die Tischkante drückt. »Du stößt die Partei vor den Kopf und unterhältst stattdessen einen Kindergarten in deinem Haus. Polnische Bälger!«

Otto denkt an das halbe Dutzend kleiner Gestalten, das einmal die Woche am Esstisch sitzt, den normalerweise die Musiker bevölkern. An Elfriedes strahlendes Gesicht und die Strähne, die sich aus ihrem hochgesteckten Haar gelöst hat. An Marthas gerötete Wangen und Hedis blitzende Augen. An Wolfgang und Johann, die ebenfalls mit am Tisch sitzen, nachdem sie – wie die jungen Schützlinge – anderthalb Stunden lang Marthas rhythmischen Vorgaben gefolgt sind.

Er weiß nicht, ob die Kinder wegen des Essens, des Tanzens oder wegen beidem da sind. Es ist ihm egal. Sie bringen kein Geld, aber Leben ins Haus.

Die Kapelle ist längst nicht mehr so groß wie vor dem Krieg. Sie wird es nie wieder werden.

»Hosen runter«, sagt Otto und legt die Karten auf den Tisch. »Mehr kriegt ihr nicht! Und was die Jungen und Mädchen in meinem Haus betrifft, so rate ich euch – redet nicht so viel, sonst wird euch das Hemd zu kurz!«

□ △ ○

1933 gewinnt die NSDAP die Reichstagswahlen. Die Zahl der Juden in Türnow hat sich seit Beginn des Jahrhunderts um zwei Drittel verringert. Der Begriff *Polack* ist zum meistbenutzten Schimpfwort im Landkreis geworden.

Am Anfang bekommt es niemand mit.

Johann ist zu unmusikalisch. Und Martha abgelenkt durch das Unterrichten. Die jungen Tänzerinnen und Tänzer um Hedi und Adam sind ohnehin mit sich oder ihrem Gegenüber beschäftigt. Adam hat Werbung gemacht in der Kurzen Straße. Martha unterrichtet inzwischen zehn Sieben- bis Neunjährige.

Umsonst selbstverständlich.

Wolfgang selbst merkt es als Einziger. Es ist neu. Er hat es noch nie getan. Auch wenn es nur vereinzelt auftritt – er spielt zweifelsohne falsche Töne.

□ △ ○

»Wieso gehst du nicht in die Kirche?«, fragt Hedi.

»Ich gehe in die Kirche«, sagt Adam. »Aber in eine andere als du.«

»Bist du kein Christ?«

»Doch, katholisch.«

»Das gibt es nicht.«

Mysterien des Glaubens.

In der Schule wird Religion unterrichtet. In Hedis Klasse sitzen ausschließlich deutsche Schüler. Alle protestantischen Glaubens.

Die polnischen Kinder, durchgehend katholisch, gehen jenseits der Grenze zur Schule, etwa zehn Kilometer von Türnow entfernt.

Den Papst gibt es. Unfehlbar. Doch das Wissen um seine Existenz dringt nicht bis in Hedis Klassenzimmer vor.

Die Religion ist allerdings nicht das einzig Trennende zwischen Deutschen und Polen.

□ △ ○

»Wir machen zwei weitere Tanzkurse auf«, vermeldet Martha aufgeregt. »Für erwachsene Schüler zwischen achtzehn und fünfundzwanzig!«

»Woher der plötzliche Andrang?«, fragt Otto.

Die jungen Frauen in Türnow sind aus dem Häuschen.

Im Wortsinn.

Die Cafés brechend voll. In den Gaststätten wird getanzt. Wer es nicht kann, will es lernen.

Auf der Langen Straße promenieren junge Menschen beiderlei Geschlechts. Nur wer in die Öffentlichkeit geht, wird gesehen. Und angesprochen. Und möglicherweise …

Unmittelbar an der Grenze zu Polen ist ein geschlossenes Lager entstanden. Männer in braunen Uniformen tauchen im Stadtbild auf. Aufgabe des Reichsarbeitsdienstes ist es, beim Straßenbau und in der Landwirtschaft zu helfen. Boden und Verkehr sollen verbessert werden.

Ein ehrenhafter Auftrag.

Gleichzeitig registriert die einheimische Bevölkerung eine Zunahme sogenannter *Grenzzwischenfälle.*

Ob ebenfalls Auftrag des Reichsarbeitsdienstes oder nicht, sei dahingestellt.

Jedoch in keinem Fall ehrenhaft.

□ △ ○

»Willst du weiter oben in der Burg putzen gehen?«, fragt Johann. »Wir verdienen zum ersten Mal mit dem Tanzstudio Geld.«

»Ich denke schon«, sagt Martha. »Wer weiß, wie lange es anhält. Morgen ist es vielleicht schon wieder vorbei.«

»Und es macht dir nichts aus?«

»Dass es kein Lehrerinnenseminar mehr ist? Nein, es ist schon in Ordnung. Die meisten Häftlinge sind sehr nett und gebildet. Fast alles *Politische.*«

Die frischgewählte Landesregierung hat entschieden, das Lehrerinnenseminar in Türnow zu schließen. Stattdessen ist in die alten Mauern der Ordensburg ein Gefängnis eingezogen.

Der pädagogische Auftrag bleibt erhalten – es gilt,

geistige Zucht und Ordnung im Deutschen Reich herzustellen. Allerdings findet der Unterricht nun hinter Gittern statt.

□ △ ○

Martha hat nicht nur ein besonderes Ohr für die Musik. Auch ihr Blick ist aufmerksam und scharf. Sie fasst sich ein Herz.

»Was ist los mit dir?«

»Du hast es gemerkt?«

»Deine Finger sind in Bewegung geraten. Und deine Füße. Du wippst unablässig auf und ab.«

Wolfgang betrachtet seine Hände. Nachdenklich. Dann blickt er an sich herunter auf seine Füße. »Sieht so aus, als ob sie lange genug an einem Ort geblieben wären. Anscheinend wollen sie wieder auf Wanderschaft.«

Martha schluckt. »Was sagt dein Kopf dazu?«

»Vielleicht ist er dafür verantwortlich …«

»Und dein Herz?«

»Ist machtlos.«

□ △ ○

Otto schließt einen Kompromiss.

Untypischerweise.

Erneut hat Walen die Kapelle angefragt. Ein Betriebsfest in der Druckerei – keine Parteiveranstaltung. Otto sagt zu. Walen ist ein mächtiger Mann geworden.

Otto sagt zu, aber er spielt nicht mit. Jeder Kompromiss hat seine Grenzen. Johann muss auf die Bühne.

Bass ja, Otto nein.

»Sehr verehrte Mitarbeiter!«, ruft Walen seiner Belegschaft zu, Schuhe, Haar und Schnurrbart glänzend gewichst. »Ich begrüße Sie und Ihre Gattinnen zum Betriebsfest der Druckerei Walen. Wir leben in besonderen Zeiten, dem Führer sei Dank. Lassen Sie uns zu den Klängen der Musik feiern! Die Kapelle Otto Wetzlaff!« Walen knallt die Hände zusammen und applaudiert.

Etwa zehn Paare setzen sich zum Rhythmus einer Polka in Bewegung. Den ganzen Morgen haben die Lehrlinge den Innenhof der Druckerei gefegt. Nicht ein einziges Staubkorn wird aufgewirbelt und beschmutzt die Schuhe der Gäste. Die Gesellen haben die großen Fässer mit Farbe beiseitegerollt. Papierballen, sorgfältig verpackt, stehen in Reih und Glied an der Backsteinmauer zur Langen Straße.

Nach etwa einer halben Stunde passiert es. Die Musik stockt, hört schließlich auf. Aller Augen richten sich auf die improvisierte Bühne. Wolfgang schaut zu Johann.

Leichenblass erwidert dieser seinen Blick. »Sie ist gerissen«, sagt er. Mit bebenden Fingern zeigt Johann auf die dicke E-Saite an seinem Instrument.

Der Pommeraner ist abergläubisch. Über alle Maßen abergläubisch. Übertroffen wird er in seinem Glauben an das Übersinnliche nur von einer einzigen Gruppe – den Musikern.

»Der Tod hat seine Wahl getroffen«, flüstert Johann in die dröhnende Stille hinein.

□ △ ○

Mit einer abrupten Handbewegung winkt Otto die Musik ab. Die Kapelle im Proberaum verstummt. Er legt die Hand hinters Ohr.

»Was ist das?« Seine Züge verziehen sich unwillig.

Er geht zur Tür und öffnet sie einen Spaltbreit.

»Hört ihr das?«

Wolfgang und die anderen Musiker nicken. Ein paar von ihnen beginnen zu grinsen.

Otto folgt dem merkwürdigen Geräusch wie ein Jagdhund, der Witterung aufgenommen hat. Er betritt die Küche.

Andächtig sitzen Elfriede, Martha, Hedi und Adam vor einem kleinen braunen Kasten, der einen blechernen Klang produziert.

»Schau, Otto«, ruft Elfriede, »Walen hat uns einen Volksempfänger geschenkt! Das ist der Fortschritt. Er meint, das Gerät sei ein Bonus für das Betriebsfest, das ihr neulich bei ihm gespielt habt. Er ist sehr zufrieden gewesen!«

Otto knurrt: »Soll das Musik sein, was da herauskommt?«

Martha lächelt. »Natürlich, hörst du es denn nicht?«

»Nein«, konstatiert Otto, »die Kapelle macht Musik. Aus dieser Kiste kommt lediglich Lärm. Stellt das Ding leiser, es ist ja nicht auszuhalten!«

Er dreht sich um und wendet wutentbrannt dem Fortschritt den Rücken.

□ △ ○

Die Form folgt der Funktion.

Marthas Kastenkuchen wäre als künstlerisches Objekt durchgegangen. Nur die brennende Kerze in der Mitte hätten die Meister am Bauhaus als überflüssiges Ornament kritisiert.

Unbelastet von solchen ästhetischen Überlegungen, holt Hedi tief Luft. Ihrem feuchten Atemstoß hat die Kerzenflamme nichts entgegenzusetzen. Sie flackert für einen Moment, dann verlischt sie ganz.

»Hast du dir was gewünscht?«, fragt Martha.

»Nein«, sagt Hedi, »ich hab alles!«

Glück ist, an seinem zehnten Geburtstag die Welt sein Eigen nennen zu können.

»Wer möchte Kaffee?«, fragt Elfriede. Außer Hedi und Adam nicken alle andächtig. Zur Feier des Tages gibt es echten Bohnenkaffee, keinen Muckefuck.

Der Sommer ist regnerisch gewesen, der Herbst nur kurz. Jetzt, im Dezember, steht das Thermometer bei null Grad. Im guten Zimmer ist es jedoch warm. Johann hat klafterweise Holz für den Ofen geschlagen.

Martha sagt: »Kennt ihr das neue Lied von den Comedian Harmonists – ›Wenn die Sonja russisch tanzt‹? Die Leute mögen es, wir sollten es ins Tanzschulprogramm aufnehmen.«

»Machen wir«, antwortet Wolfgang und greift nach seiner Tasse. Seine Hand, die ohnehin keine Ruhe mehr kennt, nähert sich dem weißen Porzellan. Als ob sie von einem Magneten abgestoßen würde, zittert sie in grobem Takt. Ohne es verhindern zu können, wirft Wolfgang die Tasse um. Dunkelbrauner Kaffee ergießt sich über die frischgestärkte Tischdecke.

Alle haben es über Monate hinweg beobachtet. Alle, außer Martha, haben geschwiegen. Doch so deutlich wie jetzt ist es noch nie gewesen.

»Du musst zu Doktor Goldstein, mein Lieber«, sagt Elfriede, die Züge blass und angespannt.

□ △ ○

Die alte Edda zieht wie ein kaputtes Akkordeon. Sie hustet, krächzt und brummt, dass einem angst und bange wird. Ganz zum Schluss geht ihr Atem in einen hohen Pfeifton über. *Symphonia asthmatica.* Wolfgang schließt die Augen. Nicht immer ist ein musikalisches Gehör von Vorteil.

Doktor Goldsteins Wartezimmer ist deutlich leerer als sonst. Genau genommen befindet sich außer Edda und Wolfgang niemand darin, wobei das Gerücht geht, Edda wohne dort. Die Propaganda Walens und der Seinen wirkt – zunehmend wird die Behandlung durch nichtarische Ärzte an den Pranger gestellt.

Die Sprechstundenhilfe erscheint und erlöst Wolfgangs Ohren von ihren Qualen. Er erhebt sich und betritt mit steifen Beinen Doktor Goldsteins Behandlungszimmer. Da, wo früher ein Schritt ausgereicht hat, sind inzwischen zwei notwendig geworden.

Doktor Goldstein beobachtet, wie er hereinkommt. »Nehmen Sie Platz!« Er deutet auf den Stuhl vor seinem Schreibtisch. »Was kann ich für Sie tun?«

Wolfgang nimmt Anlauf. Selbst die Worte wollen nicht mehr so flüssig heraus wie früher. »Ich spiele falsche Töne«, sagt er, »und kann es nicht verhindern. Außerdem werfe ich Dinge um.«

Der Blick des Arztes geht zu Wolfgangs Händen. Sie beben, wie unter starker Anspannung. »Bitte nehmen Sie den Füllfederhalter von meinem Schreibtisch!«

Wolfgang hebt die rechte Hand. Er greift nach dem Schreibutensil auf der Tischplatte. Die Vibrationen sind nun deutlich zu sehen, die Ausschläge heftig. Es ist wie bei seinem Griff nach der Kaffeetasse an Hedis Geburtstag. Es wirkt, als ob er Goldstein zuwinken wollte. Wolfgang legt die Hand zurück in den Schoß.

Der jüdische Arzt schweigt. Er steht auf und geht um den Schreibtisch herum. Er greift nach Wolfgangs Unterarm und beugt ihn im Ellenbogengelenk. Die Muskeln reagieren wie rostige Zahnräder auf die Bewegung. Dasselbe Phänomen auf der anderen Seite.

Goldstein setzt sich wieder. »Ich habe Sie beim Hereinkommen beobachtet. Ihr Gang – langsam und starr. Kleine Schritte. Dazu die Muskelsteifigkeit an den Armen und«, er zeigt auf seinen Füllfederhalter, »der Tremor! Ich will nicht lange darum herumreden, Sie zeigen eindeutige Symptome einer Schüttellähmung!«

Wolfgang fragt: »Was heißt das?«

»Sie werden immer häufiger falsche Töne spielen, Dinge umwerfen oder fallen lassen. Das Gehen wird Ihnen zunehmend schwerer fallen. Zuletzt werden Sie in hohem Maße von der Unterstützung anderer abhängig sein.«

»Gibt es Behandlungsmöglichkeiten?«

»Nur sehr begrenzt. Man kann ein Belladonna-Präparat zur Linderung des Zitterns verabreichen. Allerdings macht es Nebenwirkungen psychischer Natur – viele Patienten verändern sich in ihrer Persönlichkeit. Gleiches gilt für einen operativen Eingriff im Gehirn, mittels dessen bestimmte Leitungsbahnen durchtrennt werden, um einen Teil der Symptomatik zumindest abzuschwächen.«

»Existiert ein Hoffnungsschimmer?«

Goldstein räuspert sich. »Nun, Hoffnung gibt es immer. Für gewöhnlich schreitet die Erkrankung langsam fort. Mit ein wenig Glück können Sie noch Jahre leben.«

Wolfgang mustert den Hausarzt der Familie Wetzlaff mit ruhigem Blick. »Bevor ich mich in Türnow niedergelassen habe, bin ich viel gereist. Ich habe zahlreiche Sitten und Gebräuche kennengelernt. Die Eskimos beispielsweise steigen in ihre Kajaks und rudern ins ewige Eis hinaus, wenn sie spüren, ihre Lebenskraft neigt sich dem Ende zu. Sie wollen ihren Familien nicht unnötig zur Last fallen.« Langsam und schwerfällig erhebt er sich von seinem Platz und schlurft zur Tür. Dort wendet er den Kopf. »Das nenne ich Glück, Doktor Goldstein!«

□ △ ○

Fasziniert beobachtet Martha, wie Hedi und Adam gleichzeitig abspringen, sich in der Luft drehen und sicher mit beiden Füßen wieder auf dem Boden landen. Ihre Bewegungen sind vollkommen synchron, dennoch könnten beide nicht unterschiedlicher sein.

Hedi ist blond und tanzt. Sie hat ihr Haar hochgesteckt. Jeder ihrer Schritte ist schön anzusehen.

Adam ist nicht viel älter als sie. Elf. Klein, dunkel und sehnig. Was er mit seinen Armen und Beinen, mit Schultern und Hüften, mit seiner gesamten Gestalt macht, verschlägt Martha den Atem. Er tanzt nicht, er fliegt. Wie ein Falke kreuzt er den Proberaum, beherrscht ohne sichtbare Anstrengung Raum und Zeit.

Der Schrei bricht den Zauber.

Erschrocken prüft Martha, ob Hedi oder Adam sich verletzt haben. Doch beide blicken genauso verständnislos wie sie selbst. Der Schrei kommt von oben.

Es ist Elfriedes Stimme.

□ △ ○

Martha stürzt in Elfriedes und Ottos Schlafzimmer. Elfriede, ein weißes Blatt Papier in der Hand. Die Gestalt erstarrt. Der Umschlag zu Boden gefallen.

»Um Gottes willen, was ist passiert?« Martha entwindet Elfriedes steifen Fingern den beschriebenen Bogen. Eine vertraute Handschrift. Jedoch zittriger, undeutlicher als früher. *Meine geliebte Elfriede …*

Martha überfliegt das Schreiben. Ihr Gesicht verliert jede Farbe, sie schwankt. Sie hebt den Kopf. Ihr Blick wandert von Elfriede zum Ehebett. Auf dem Kopfkissen ein weiterer Brief. Dieselbe Handschrift. Diesmal adressiert an Otto. Martha läuft hin und nimmt den Umschlag an sich.

»Niemals«, flüstert sie zu Elfriede, »wirst du Otto davon erzählen!«

Elfriede nickt. Ist weiter wie betäubt.

»Hast du verstanden, was ich gesagt habe?«

Erneut hebt und senkt Elfriede den Kopf. Langsam weicht die Starre aus ihren Zügen und macht einem Schmerz Platz, dessen Ausmaß nur sie selber zu erfassen vermag.

Martha verlässt den Raum, Ottos Brief in der Tasche, Elfriedes in der Hand. Sie eilt über den Flur in ihr eigenes Zimmer. Noch ein Umschlag, wieder auf dem Bett drapiert. Weiß wie Schnee, aber keinesfalls unschuldig. Sie kennt seinen Inhalt. Hat ihn bereits gekannt, bevor sie das Schreiben an Elfriede gelesen hat.

Niemals darf Otto von Wolfgangs Briefen erfahren. Niemals. Geschweige denn jemand anders. Es ist nicht nur ihre Pflicht als Tochter, sondern schlicht ein Akt der Gnade.

□ △ ○

Es gibt keinen Sarg. Auf dem Tisch an der Wand des Proberaumes brennt eine Kerze. Daneben ein Foto von Wolfgang. Die untere rechte Ecke des Bilderrahmens wird von einem schwarzen Streifen abgeschnitten. Im schwindenden Licht des Tages streicht Johann den Bass. Sanft setzt Otto mit der Tuba ein und legt einen warmen Klang unter Johanns Töne.

Elfriede blickt nach vorn.

Notenständer und Stühle sind beiseitegeräumt. Martha, Hedi und Adam bewegen sich behutsam im Takt der Musik: kommen einander näher und gleiten wieder auseinander; die Bewegungen ihrer Körper fließend, in der Dämmerung kaum zu unterscheiden, wer wer ist.

Drei Menschen, die das Schicksal zusammengeführt hat, um einen Tanz zu teilen.

Elfriede sieht zu Otto. Sie lächelt ihm zu. Dankbar. Für alles. Die Ringe unter ihren Augen sind schwarz und tief, doch ihre Tränen versiegt. Sie lehnt den Kopf an das warme Holz von Wolfgangs Klavier.

Drei Menschen, die das Schicksal vor mehr als drei

Jahrzehnten zusammengeführt hat, um das Leben zu teilen. Im schwindenden Licht des Tages kaum zu unterscheiden, wer wer ist.

□ △ ○

Winter. Frühling. Sommer. Herbst. Das Rad der Zeit dreht sich unaufhaltsam fort. Die Jahre nach Wolfgangs Verschwinden vergehen. Sie sagen »Verschwinden« im großen Haus, meinen aber Tod.

Es ist nie eine Leiche gefunden geworden. Elfriede hat sich an Marthas Anweisungen gehalten und der Polizei erzählt, sie habe einen Abschiedsbrief erhalten, ihn nach dem Lesen aber sofort in den Ofen geworfen – sie habe die Worte nicht ertragen können.

Niemand hat gesehen, wie Wolfgang die Stadt verlassen hat. Aber alle wissen – er ist nicht weit gegangen. Ein Erdloch, ein Tümpel im Wald. Ein Felsvorsprung. Vielleicht das Moor.

Die Landschaft um Türnow herum ist einsam und verlassen.

Hedi ist inzwischen fast fünfzehn. Eine hübsche junge Frau, körperlich gereift. Stets an ihrer Seite – Adam, mit langem schwarzem Haar und brennendem Blick. Nur eine Flamme lodert in ihm: die Leidenschaft fürs Tanzen.

Wie zweieiige Zwillinge sind sie einander zugetan – als ob ein unsichtbares Band sie schon im Mutterleib verbunden hätte.

Martha geht nach wie vor in die Ordensburg, um zu putzen. Der Schmutz ist nicht weniger geworden. Mittlerweile hat die Gestapo das Gefängnis übernommen.

Die Zahl der Häftlinge, insbesondere der politischen, wächst von Tag zu Tag.

Wie immer spielen Otto, Johann und die Kapelle Hochzeiten und Betriebsfeste. Sie musizieren in der Kirche, im *Schützenhof* und unter freiem Himmel. Wolfgang ist gestorben, doch die Musik lebt weiter.

Auch in Elfriede.

□ △ ○

Der August ist heiß. Erbarmungslos heiß. Die Luft im Proberaum zum Schneiden dick. Sie trainieren im Schweiße ihres Angesichts. Arme, Beine, ihre überhitzten Leiber glänzen feucht. Unmöglich, einander Halt zu geben, Halt zu finden. Alles gleitet auseinander.

Gegen Abend türmen sich dicke Wolkenberge auf. Elektrizität liegt in der Luft. Es ist schwül, drückend, ein einzelner Funke genügt, und der Himmel explodiert.

Hedi und Adam spazieren am Flussufer entlang. Kein Mond weist ihnen den Weg. Um sie herum unsichtbare Jäger im Dunkel. Mücken laben sich an ihrem Blut.

Adam fragt: »Kannst du dich an ihn erinnern?« Beide wissen, wen er meint.

»Nein«, sagt Hedi leise, »die Zeit vergeht zu schnell. Manchmal sehe ich ihn noch am Klavier sitzen, wenn er mit uns geprobt hat. Aber sein Gesicht verschwindet immer mehr.«

Ferner Donner erklingt. Wetterleuchten am Horizont.

»Ein reines Leben!«

»Wie bitte?«

»Das ist es, wofür Wolfgang steht. Für ein reines Leben, über den Tod hinaus.«

Adam holt Luft. »Ein Leben, das die Wirklichkeit aussperrt. Ebenso wie am Ende Krankheit und Tod.«

Hedi bleibt stehen. »Was ist deine Idee von einem reinen Leben, Adam?«

Noch bevor Adam antworten kann, biegen drei Gestalten um die Kurve, die der Uferpfad an der Stelle beschreibt. Für einen Moment bricht die Wolkendecke auf. Im fahlen Mondlicht sind Uniformen zu erkennen. Stiefel glänzen, Koppel funkeln. Es gibt nicht genug Platz für alle. Hedi und Adam treten zur Seite.

Die drei jungen Männer vom Reichsarbeitsdienst sind schon fast vorbei, als einer von ihnen stehen bleibt und sich umdreht.

»Verzeihung, Fräulein«, sagt er zu Hedi. »Es ist schon nach zehn. Sie sehen recht jung aus. Kennen Sie die Bestimmungen des Reichsjugendschutz nicht?«

»Doch«, antwortet Hedi, »aber ich wohne gleich dahinten.« Sie zeigt in Richtung des großen Hauses. »Wir haben nur einen kurzen Abendspaziergang gemacht, um der Hitze des Tages zu entgehen.«

Der Reichsarbeitsdienstmann fasst Adam näher ins Auge. »Hat Ihr Begleiter Sie belästigt?«

Hedi lacht fröhlich auf. »Nein, Gott bewahre, wir sind Tänzer. Adam ist mein Trainingspartner.«

Ein zweiter Mann mischt sich ein. »Tänzerin bist du also!« Er fasst Hedi unters Kinn. »Dann macht es dir sicher nichts aus, mir einen Kuss zu geben. Denn das ist es doch, womit ihr Tänzerinnen euer Geld verdient, oder etwa nicht?«

»Lass gut sein, Werner«, beschwichtigt ihn der Erste, »wir sind unserer Aufsichtspflicht nachgekommen. Komm weiter!«

»Erst ein Kuss!«, beharrt der andere. »Sonst bringen wir die beiden aufs Revier. Sie haben eindeutig das Ausgangsverbot für Jugendliche missachtet!« Erneut greift er nach Hedi.

»Verfluchte Nazis!« Adam macht einen Schritt nach vorn und versetzt dem Mann einen Stoß. Hedi schreit auf, doch es ist zu spät. Sofort eilen die beiden anderen ihrem Kameraden zu Hilfe.

Es ist ein mehr als ungleicher Kampf.

Nach wenigen Sekunden liegt Adam am Boden. Eine klaffende Wunde an der Stirn, den rechten Arm in einem seltsamen Winkel abstehend. Er hat die Augen geöffnet, sein Atem geht stoßweise.

»Wir werden dir deinen Hitzkopf schon abkühlen, bevor wir dich aufs Revier bringen«, zischt derjenige, der Hedi belästigt hat.

»Nein«, schreit sie verzweifelt, als zwei von ihnen Adam an Armen und Beinen packen. Der dritte hält sie fest. Sie windet sich heftig in seinem Griff, doch vergebens – Adams misshandelter Körper landet im Fluss. Im selben Moment öffnet der Himmel seine Schleusen. Ein Grollen erfüllt die Luft. Dicke Tropfen gehen nieder. Der Wind frischt auf.

□ △ ○

Martha hastet den Weg zur Ordensburg hoch. Vor Sonnenaufgang. Weit vor ihrem gewöhnlichen Arbeitsantritt.

»Die Wärter werden mich zu ihm lassen«, hat sie gesagt, »sie kennen mich. Es sind Männer aus der Stadt.« Wortlos haben Otto, Hedi und Johann genickt.

Ohne einen Bissen im Leib hat sie das Haus verlassen. Der Weg ist steil. Sie bleibt stehen und ringt nach Luft. Ihr ist schwindelig. Es ist entweder der Kreislauf oder die Angst, die den Boden unter ihren Füßen schwanken lässt.

Zitternd und bis auf die Knochen durchnässt, ist Adam gestern Abend aufs Polizeirevier gebracht worden – wegen grob ungebührlichen Benehmens. Seine Personalien werden aufgenommen, und plötzlich ist klar, er ist kein Deutscher. Sofort wird die Anzeige geändert: Mit einem Mal hat er sich eines Verstoßes gegen das seit wenigen Jahren bestehende Heimtückegesetz schuldig gemacht:

»Wer öffentlich gehässige, hetzerische oder von niedriger Gesinnung zeugende Äußerungen über leitende Persönlichkeiten des Staates oder der NSDAP, über ihre Anordnungen oder die von ihnen erschaffenen Einrichtungen macht, wird mit Gefängnis unbestimmter Dauer bestraft.«

Verfluchte Nazis! Adam hat die Reichsarbeitsdienstmänner beschimpft. Es gibt Zeugen dafür. Die Gestapo nimmt ihn unverzüglich in Schutzhaft.

Martha beschleunigt ihre Schritte. Nicht der Staat muss vor Adam geschützt werden. Im Gegenteil.

□ △ ○

Sie betritt die Küche im großen Haus. Blass und stumm sitzen Hedi, Otto und Johann um den Tisch. Es scheint, als hätten sie sich während ihrer Abwesenheit nicht bewegt.

Es ist immer noch erst früher Vormittag. Im Hintergrund dudelt der Volksempfänger. Anders ist die erdrückende Stille nicht zu ertragen.

Hedi springt auf. »Wie geht es ihm?«

»Nicht gut«, sagt Martha leise. »Ein Mithäftling, Medizinstudent, hat ihm provisorisch den Arm geschient. Er ist gebrochen. Der Student vermutet, Adam habe eine schwere Gehirnerschütterung erlitten. Er verliert immer wieder das Bewusstsein.« Martha sinkt auf den freien Stuhl. Müde streicht sie sich eine Haarsträhne aus der Stirn.

»Können wir etwas tun?«, fragt Otto.

»Nein«, antwortet sie, »sie wollen ihn bis auf weiteres festhalten – was auch immer das bedeuten mag.«

Die Musik im Volksempfänger bricht ab. Die Übertragung einer Reichstagsrede des Führers wird angekündigt.

Johann beugt sich vor und dreht den Ton lauter.

Plötzlich ist der Raum angefüllt mit dem Staccato des Mannes, der sich selber als Retter des deutschen Volkes sieht.

»Natürlich spricht aus dem Teufelskasten der Teufel höchstpersönlich!« Otto haut mit der Faust auf den Tisch.

Die blecherne Stimme eifert staatstragend: »Polen hat nun heute Nacht zum ersten Mal auf unserem eigenen Territorium auch mit bereits regulären Soldaten geschossen. Seit 5 Uhr 45 wird jetzt zurückgeschossen! Und von jetzt ab wird Bombe mit Bombe vergolten!«

Nicht nur in Türnow ist ein neuer Monat angebrochen. In ganz Europa zeigen die Kalenderblätter den 01. September 1939.

□ △ ○

»Er hat Fieber bekommen. Hohes Fieber!« Martha nestelt nervös an der Brosche an ihrem Kleid.

Sie hat bereits Wolfgang verloren. Auch wenn er selbst entschieden hat zu gehen. Adam ist jung. Das Leben liegt vor ihm. Sie muss etwas tun.

Doktor Goldstein sitzt hinter dem Schreibtisch in seinem Behandlungszimmer. Er mustert sie über den Rand seiner Brille hinweg. »Sie sagen, er befinde sich seit zwei Nächten in feuchter Kleidung und geschwächtem Allgemeinzustand in einer Gefängniszelle? Und jetzt hat er Fieber?«

Martha nickt.

»Und hustet?«

Martha spürt einen Kloß im Hals. Sie nickt. Die Wahrheit trägt ein hässliches Gesicht.

Goldstein sagt: »Ich befürchte, er hat eine Lungenentzündung entwickelt.« Leise fährt er fort: »Sie wissen, die Gestapo lässt nur ihre eigenen Ärzte ins Gefängnis ...«

»Ich weiß. Es ist jemand da gewesen. Er hat gesagt, das Fieber werde schon wieder heruntergehen – irgendwann.« Sie schließt für einen Moment die Augen. »Außerdem hat er gemeint, die Polacken seien ein zähes Pack ...«

»Ihr junger Freund benötigt dringend Medikamente. Wäre es möglich, Sulfonamide in die Zelle zu schmuggeln? Der Medizinstudent, von dem Sie mir erzählt haben, könnte sie ihm verabreichen …«

□ △ ○

»Ich lasse nicht zu, dass du dein Leben riskierst!« Johanns Worte sind an Deutlichkeit nicht zu überbieten.

»Bitte, tu es nicht«, flüstert Elfriede, »es ist zu gefährlich.«

Leise ergänzt Hedi: »Was ist, wenn sie dich erwischen?«

Die Uhr auf der Anrichte im Speisezimmer des großen Hauses zeigt kurz vor sechs. Jeden Moment werden die Männer der Kapelle zum Abendessen erscheinen.

Martha sieht zu Otto. »Du sagst nichts?«

Er erwidert ihren Blick. »Würde es etwas nutzen?«

»Nein«, antwortet Martha mit fester Stimme.

Ein resigniertes Lächeln zuckt über Ottos Gesicht. »Es ist wie immer, wenn du dir etwas in den Kopf gesetzt hast. Geige spielen, Lehrerinnenseminar, Bauhaus …« Er reibt sich das Kinn. »Allerdings solltest du weder Doktor Goldstein noch den bedauernswerten Medizinstudenten in die Sache reinziehen.«

»Aber ohne ihre Unterstützung kann ich Adam keine Medikamente zukommen lassen«, sagt Martha. Sie senkt den Kopf.

»Brauchst du auch nicht.« Otto erhebt sich. Er wirkt entschlossen. »*Wenn Moses nicht zum Berg kommt* … ihr wisst schon. Ich werde sehen, was sich machen lässt!«

□ △ ○

Otto trifft sich mit dem Bürgermeister. Und dem Gutsbesitzer. Beide langjährige Skatbrüder. Und in der Partei.

»Ich hab's dir gleich gesagt, die polnischen Bälger bringen nur Ärger! Aber du hast gemeint, wir sollten nicht so viel reden. Uns würde das Hemd zu kurz.« Gutsbesitzer Alfred Puttker hat ein gutes Gedächtnis.

»Es ist eine politische Sache, Otto.« Der Bürgermeister zuckt mit den Achseln. »Wir können nichts tun.«

»Eben weil es eine politische Sache ist, bin ich zu euch gekommen. Wer ist der mächtigste Politiker in Pommern?«

Alfred Puttker pfeift leise durch die Zähne. Er verfügt nicht nur über ein gutes Gedächtnis, sondern auch über eine rasche Auffassungsgabe. »Wir sollen für dich zum Gauleiter gehen. Zu unserem alten Parteifreund Walen …«

»Es handelt sich um einen fünfzehnjährigen Jungen, Alfred. Er hat für einen Moment die Beherrschung verloren. Er stellt für niemanden eine Bedrohung dar.«

Der Bürgermeister wiegt den Kopf. »Du bewegst dich auf dünnem Eis, Otto. Ist dir das klar?«

Otto schluckt. Schluckt den bitteren Geschmack in seinem Mund hinunter. Und seinen Stolz gleich dazu.

Er tut es für Martha. Für Adam. Und für sich selber, um weiter in den Spiegel blicken zu können. »Ja, das ist mir klar.«

□ △ ○

Drei Uhr morgens. Türnow schläft.

Der Gestapokommandant hat darauf bestanden, dass

es niemand sieht. Er will keine Schwäche zeigen – sprich Menschlichkeit.

Die Ordensburg liegt in tiefer Dunkelheit. Wenige Stunden zuvor ist der Bürgermeister bei Karl Theodor Walen gewesen. Sie haben gemeinsam zu Abend gegessen. Und Wein getrunken. Zum Kaffee ist Cognac serviert worden. Schließlich hat Walen den Gestapokommandanten angerufen.

Im Mauerwerk öffnet sich eine schmale Seitentür. Für einen Moment fällt trübes Licht nach draußen. Adam tritt aus dem Eingang. Er taumelt vor Schwäche. Seine Beine knicken unter ihm weg. Otto und Johann fangen ihn auf und legen ihn auf den Karren. Martha hüllt ihn in eine Decke.

Sie bringen ihn über den Fluss, in die Kurze Straße. Otto sagt zu Adams Eltern: »Ihr müsst ihn unverzüglich wegbringen. Der Bürgermeister will ihn nie wieder in der Stadt sehen.«

Adams Eltern nicken stumm. Sie haben Verwandte jenseits der Grenze. Sie werden Adam dorthin bringen.

Kein Abschied. Adam deliriert.

Johann, Otto und Martha fahren zurück ins große Haus, wo Hedi und Elfriede auf sie warten.

Und der Krieg.

New York

(2001)

Sie muss verrückt sein. Ohne jeden Zweifel muss die alte Frau verrückt sein – anders lässt sich ihr bizarrer Auftritt nicht erklären.

»Wie bitte?«, frage ich ungläubig.

Vollkommen ungerührt wiederholt sie ihre absurde Behauptung: »Sie sind ein Betrüger, junger Mann!«

Es hat so harmlos und gleichzeitig vielversprechend begonnen – eine Einladung zum Abendessen in eine Suite in einem Luxushotel. Eine geheimnisvolle Millionärin und ihre junge Assistentin.

Und jetzt das.

Habe ich mir nicht erst vor wenigen Minuten – draußen auf dem Hotelflur – vorgenommen, was immer heute Abend auch geschehen mag, sachlich und vor allem mit gesundem Menschenverstand zu betrachten? Auf eine solche Situation war ich allerdings nicht gefasst.

Die alte Frau nimmt einen Schluck aus ihrem Glas. »Sie behaupten, das Tagebuch im Nachlass Ihrer Großmutter gefunden zu haben. Zufällig. Ich möchte Sie nicht beleidigen, aber wenn das stimmt, ist auch Ihre Großmutter eine Betrügerin. Denn allem Anschein nach hat sie unter falschem Namen gelebt.«

»Hören Sie auf!« Meine Stimme überschlägt sich. »Ich bin kein Betrüger! Und ich verbiete Ihnen, so über meine Großmutter zu sprechen!« Wütend balle ich die Faust. »Was soll der Unfug? Wer sind Sie überhaupt?«

Schweigend mustert mich die alte Frau. Ihr Gesicht scheint aus tausend Runzeln zu bestehen. Leise antwortet sie: »Die echte Hedi ist nicht erst im vergangenen Jahr, sondern bereits viele Jahre zuvor gestorben. Bitte glauben Sie mir. Sie ist schon sehr lange tot.«

»Wer sagt das?«

Behutsam, als halte sie einen seltenen Fund in der Hand, setzt die alte Frau ihr Glas auf dem Beistelltisch ab. »Ich, Martha!«

Manche Menschen sind der Meinung, die Landung auf dem Mond sei ein *fake*. Die Amerikaner hätten die Aufnahmen in einem geheimen Studio gemacht. Andere sind sich sicher, erst gestern Elvis im Supermarkt gesehen zu haben. Zwar deutlich gealtert, aber immerhin – Elvis. Jede dieser Behauptungen wird im Brustton der Überzeugung vorgebracht.

Die echte Martha ist im Jahr neunzehnhundert geboren. Das geht eindeutig aus ihrem Tagebuch hervor. Inzwischen haben wir das Jahr zweitausendeins. Falls sie noch lebte, müsste sie heute hundert oder hunderteins sein. Zugegeben, nicht komplett unmöglich, aber doch verdammt unwahrscheinlich.

Wesentlich wahrscheinlicher ist, dass meine seltsame Gastgeberin ganz schön verkalkt ist.

»Okay«, ich zwinge mich zur Ruhe, »Sie behaupten also allen Ernstes, Martha zu sein? Dann wären Sie mindestens hundert Jahre alt. Und gleichzeitig Hedis Mutter. Und meine Urgroßmutter.« Ich atme tief durch. »Wo sind Sie dann all die Jahre gewesen? Was ist damals auf der *Wilhelm Gustloff* geschehen? Und überhaupt – falls Sie wirklich den Schiffsuntergang, den Krieg und all das überlebt hätten, warum haben Sie sich dann nie gemeldet?« Ich schüttele den Kopf. »Nein, vergessen Sie's, wenn hier jemand lügt, dann Sie. Ich glaube Ihnen kein Wort!«

Nachdenklich mustert mich die alte Dame. »Die *Wilhelm Gustloff* ... Sie haben das Tagebuch gelesen. Die letzte Eintragung, die ich gemacht habe. Sie ist unvollständig, bricht mitten im Satz ab, nicht wahr?« Sie nickt. Langsam. Bedächtig. »Es muss recht verwirrend für Sie sein.«

Aus Höflichkeit unterdrücke ich die Bemerkung, für wen von uns beiden die Dinge verwirrender sind – für sie oder für mich. Trotzdem sollte ich dem Spuk möglichst schnell ein Ende bereiten.

Meine Gedanken wandern zurück in das Hotelzimmer im *Four Seasons.* Zu Wolfgangs Briefen. Martha hat sie damals an sich genommen. Außer ihr und Elfriede hat sie nie jemand zu Gesicht bekommen.

»Ich möchte Sie etwas fragen.«

»Nur zu, junger Mann.«

Ich deute auf das Notenheft auf dem kleinen Tisch. »Haben Sie es nur wegen der Zeichnungen gekauft, oder haben Sie es auch gelesen?«

»Die Zeichnungen …« Ihre Stimme bekommt einen weichen Klang. »Es sind großartige Künstler gewesen, finden Sie nicht auch? Irgendwann haben sie einen regelrechten Wettbewerb daraus gemacht: Schlemmer, Kandinsky, Klee. Jeder von ihnen hat mich gemalt. Tanzend. In der Bewegung. Die Bilder hängen heute in verschiedenen Museen in Europa. Vor ein paar Jahren, als ich noch jünger war«, sie kichert, »achtzig oder einundachtzig vielleicht, bin ich hingeflogen und habe sie mir angesehen – alle. Kandinskys *Tanzkurven.* Klees *Tanzstellung 17 B*, die er noch einmal auf Leinwand gemalt hat. Nur Oskar hat sein Bild schlicht *Die Tänzerin* genannt. Typisch für ihn.«

Es kann nicht sein. Für einen Moment werde ich unsicher. Wenn man ihr zuhört, könnte man den Eindruck gewinnen, sie weiß, wovon sie spricht. Es gibt nur eine Möglichkeit, das herauszufinden. »Noch einmal, haben Sie Marthas Aufzeichnungen gelesen? Insbesondere die aus Türnow?«

Ihre Stimme wird wieder fester. »Das habe ich, auch wenn es nicht nötig gewesen wäre. Ich erinnere mich an jeden einzelnen Moment.« Die Hand auf dem Knauf des Gehstocks beginnt zu zittern.

»Dann wissen Sie auch von Wolfgangs Briefen«, sage ich. »Den Briefen, die er unmittelbar vor seinem Verschwinden an Elfriede, Otto und Martha geschrieben hat. Martha hat Otto den für ihn bestimmten Brief nie gezeigt und auch das Schreiben für Elfriede an sich genommen. Haben Sie eine Ahnung, was aus den Briefen geworden ist?«

Sie zögert. »Nein, ich vermute, sie sind auf der Flucht verlorengegangen. Und das ist auch besser so. Niemand hätte sie je zu Gesicht bekommen dürfen.«

»Ich habe sie gelesen.«

Unvermittelt stößt die alte Frau die Spitze des Stocks auf den Boden. »Unfug! Keiner hat sie gelesen. Dafür habe ich gesorgt!«

Ich habe die Briefe so oft in den Händen gehalten, dass ich ihren Inhalt auswendig kenne. Wort für Wort. Langsam fange ich an zu rezitieren: *»Meine geliebte Elfriede, die schönste Frau, der ich auf meinen Reisen begegnet bin, hat als Geisha in Kyoto gelebt. Doch dann habe ich in Türnow am Brunnen haltgemacht und Dich gesehen …«*

»Nein!« Jede Farbe ist aus ihren Zügen gewichen. Sie schwankt in ihrem Sessel, so dass ich für einen Moment befürchte, sie wird ohnmächtig. »Was tun Sie da? Wollen Sie mich quälen?«, krächzt sie.

»Nein, ich möchte lediglich herausfinden, ob Sie wirklich Martha sind. Falls ja, wüssten Sie – und zwar nur Sie –, was Wolfgang in seinen Briefen enthüllt hat.«

»Großer Gott«, flüstert sie, »wie sind Sie an diese Schreiben gekommen?«

»Erst Sie.« Ich mache eine auffordernde Handbewegung.

»Ich verstehe«, entgegnet sie leise. »Die Briefe sind nicht verlorengegangen. Sie befanden sich immer noch bei meinen Aufzeichnungen, genau dort, wo ich sie aufbewahrt habe.« Sie schließt die Augen. Lange Sekunden sind nur ihre Atemzüge zu hören. Dann, mit einem Mal, erklingt ihre Stimme.

Falsch. Es ist Wolfgangs Stimme.

Sanft. Zärtlich. Aus mehr als einem halben Jahrhundert entfernt.

Meine geliebte Elfriede,

die schönste Frau, der ich auf meinen Reisen begegnet bin, hat als Geisha in Kyoto gelebt. Doch dann habe ich in Türnow am Brunnen haltgemacht und Dich gesehen. Im Bruchteil einer Sekunde ist das Bildnis der jungen Japanerin in meinem Inneren zu Asche zerfallen.
Ich bin Dir gefolgt, damals, woran sich seitdem nichts geändert hat. Die beste Entscheidung meines Lebens!
Doch jetzt gehe ich erneut auf Reisen. Zum letzten Mal.
Was wir getan haben, kann nicht falsch gewesen sein.
Martha und Du – Ihr beide seid die Sonnen meines Lebens, wärmt für immer mein Herz. Weder Krankheit noch Tod sollen je ihren Schatten darauf werfen.

Ich werde Dich immer lieben,
Dein Wolfgang

Die Stimme der alten Frau verlischt. Sie ist Martha. Sie muss Martha sein. Nur sie kennt den Inhalt von Wolfgangs Briefen.

Ich habe meine Urgroßmutter gefunden.

Zum zweiten Mal.

Erst in ihrem Tagebuch und jetzt im wirklichen Leben. Es ist mehr als unglaublich.

Marthas Geschichte ist meine Geschichte. Und umgekehrt. Die Briefe sind das Band, das uns verbindet. Über die Zeiten hinweg. Generationen überspringend.

Ich hole tief Luft.

Mein lieber alter Freund,

ich weiß, dass Du es weißt und es immer gewusst hast. Elfriede und Du – ihr habt nach Heinzchens Tod nicht mehr beieinandergelegen. Dennoch ist sie wieder schwanger geworden. Eine jungfräuliche Empfängnis oder ein irdischerer Akt?

So oder so hast Du keinerlei Anstalten unternommen, den halbverhungerten Pianisten hinauszuwerfen, der knapp ein Jahr zuvor seinen Fuß über die Schwelle Deines Hauses gesetzt hat. Stattdessen hast Du das Füllhorn Deiner Freundschaft über mich ausgeschüttet – eines der drei großen Geschenke in meinem Leben. Die beiden anderen sind mir ebenfalls in Deinem Haus zuteilgeworden.

Pass mir auf unsere Frauen auf, Otto!

Ich werde jetzt den Deckel des Klaviers zuklappen.

Endgültig. Vielleicht suchst Du Dir für die Kapelle einen Gitarristen; ich habe das Gefühl, das könnte in Mode kommen.

Dein Dir ewig dankbarer Freund
Wolfgang

Den letzten Brief, den an Martha, geben wir zusammen wieder. Wie bei einem Liedvortrag fällt der helle Klang ihrer Stimme in den tieferen meiner ein.

Liebste Martha,

eben noch ein kleines Mädchen, und jetzt eine erwachsene Frau. Stets mit eigenem Kopf – eine der zahllosen Eigenschaften, die ich so sehr an Dir bewundere. Du tust, was Du als richtig erachtest und nicht das, was die allgemeine Moral oder die Konvention vorschreiben. Dein »Nein« auf meine Frage, ob du den Brief von Walter gelesen hast, war zweifelsohne Antwort und Lüge zugleich. Nie werde ich die Liebe und Zärtlichkeit in Deinem Blick vergessen. Ich danke Dir mit der ganzen Kraft meiner Seele!
Nachdem ich damals von meiner Familie weggegangen bin, habe ich nur ein einziges Mal mein Schweigen gebrochen – als ich Vater einer Tochter geworden bin. Ich habe Walter einen Brief geschrieben – schreiben müssen –, weil ich es vor Freude und Stolz nicht ausgehalten habe. Ein Gefühl, das bis heute unverändert anhält.
Unerwarteterweise hat mein Bruder zwanzig Jahre später Gelegenheit bekommen, seine Nichte kennen-

zulernen – eine der Wirrungen des Schicksals, die anscheinend unabdingbar mit Deiner Person verbunden sind …
Liebste Martha, wahrscheinlich ist es ein zweifelhaftes Glück, zwei Väter sein Eigen zu nennen. Es macht sich jedoch bezahlt, wenn einer der beiden geht.
Bitte verzeih mir!

Dein Dich stets liebender Vater Wolfgang

Ich kann nicht sagen, wie lange Martha und ich einfach dasitzen, ob Minuten oder Stunden vergehen. Wenn Jahrzehnte zu einem Augenblick schrumpfen, verliert die Zeit ihre Bedeutung.

Wir zucken beide zusammen, als die Tür zum Flur einen Spaltbreit geöffnet wird und Marthas Assistentin den Kopf hereinsteckt. Lächelnd sagt sie: »Falls der Hunger Sie noch nicht umgebracht hat, könnten Sie ins Speisezimmer überwechseln. Die Köchin macht schon ein ganz besorgtes Gesicht. Wir sollten sie nicht länger warten lassen.«

»Danke, wir kommen.« Marthas Tonfall lässt erkennen, dass sie sich wieder gefangen hat. Alles Weiche, Verletzliche, was vorhin in ihrer Stimme mitgeschwungen hat, ist verschwunden. Mit ausdrucksloser Miene wendet sie sich mir zu. »Nun, zumindest *meine* Identität dürfte hinreichend geklärt sein. Was Sie betrifft, junger Mann, hege ich nach wie vor Zweifel. Die Briefe haben sich im Tagebuch befunden, das wiederum in Hedis Gepäck war. Ich weiß nicht, wie Ihre Großmutter an Hedis Rucksack gelangt ist. Aber Hedi ist mit der *Wilhelm Gustloff* untergegangen. Sie liegt in einem feuchten, kalten Grab.« Sie streckt mir ihre faltige Hand entgegen. »Helfen Sie mir«, befiehlt sie schroff.

Ich beuge mich vor, greife nach ihren knotigen Fingern und ziehe sie aus dem Sessel hoch. Nachdem sie mit meiner Unterstützung zum Stehen gekommen ist, setzt sie sich langsam in Bewegung. Vorsichtshalber gehe ich dicht hinter ihr, wobei mir irgendetwas an ihrer Haltung merkwürdig erscheint. Es dauert ein paar Sekunden, bis ich darauf komme. Mit der rechten Hand stützt Martha sich auf ihrem Stock ab. Aber links hält sie den Arm vom Körper abgewinkelt – als ob sie jemand untergehakt hätte.

Ich blicke zu der jungen Frau im Türrahmen. Sie scheint nichts zu bemerken, zumindest lässt sie sich nichts anmerken. Sie tritt beiseite und nickt mir zu.

»Bitte begleiten Sie uns in den Speiseraum.«

Wir sitzen an einem langen rechteckigen Tisch, an dem ein Dutzend Menschen Platz finden würde, der aber nur für drei Personen eingedeckt ist – Martha thront vor Kopf, ihre Assistentin und ich befinden uns links und rechts von ihr.

Ein gestärktes Tischtuch, Silberbesteck und Kristallgläser in verschiedenen Größen. In der Mitte ein dreiarmiger Leuchter mit weißen Kerzen.

Ich brenne. Ich brenne vor Neugier. Doch wo fängt man an, wenn mehr als ein halbes Jahrhundert verloren geglaubte Familiengeschichte plötzlich neben einem sitzt?

Martha nimmt mir die Entscheidung ab. »Sie haben übrigens unrecht, junger Mann. Ich bin nicht hundert, sondern hundertundein Jahr alt.« Sie stößt einen Laut aus, der vermutlich ein Lachen darstellen soll.

Ich blicke zu ihrer Assistentin. Das Kerzenlicht spiegelt sich im Grün ihrer Augen.

»Schrecklich, nicht wahr?«, fährt Martha fort. »Tatsächlich weile ich bereits seit einhundertundeinem Jahr auf diesem wahnsinnigen Planeten.« Sie mustert mich nachsichtig. »Alte Menschen entschuldigen sich nicht, merken Sie sich das, junger Mann. Aber ich habe meine Gastgeberpflichten vernachlässigt, und das ist unverzeihlich. Fangen wir also noch einmal von vorne an. Ich bin Martha Styp, geborene Wetzlaff; die Frau, die leichtsinnigerweise vor mehr als einem dreiviertel Jahrhundert ihre Gedanken und Gefühle einem schwarzen Notenheft anvertraut hat.« Sie deutet zur Seite. »Bei der jungen Dame hier handelt es sich um Rebecca Heynes, meine persönliche Assistentin. Sie hat den Kauf des Tagebuches für mich organisiert, so wie sie auch alles andere für mich erledigt. Sie allein weiß, wie sehr mich dessen unerwartetes Auftauchen in Unruhe versetzt hat.«

Rebecca nickt bestätigend.

»Gleichzeitig hat sie mich ermutigt, der Sache auf den Grund zu gehen: Wieso existiert das Heft überhaupt noch? Und wie konnte es in Ihren Besitz gelangen? So gesehen, haben Sie die Einladung heute Abend meiner Assistentin zu verdanken.«

Ich drehe den Kopf. »Vielen Dank, Rebecca. Ich bin froh, hier sein zu dürfen.«

Rebecca wechselt einen schnellen Blick mit Martha. Dann wendet sie sich mir zu und erkundigt sich höflich: »Wie haben Sie den heutigen Tag verbracht, Thomas?«

Plötzlich verändert sich die Atmosphäre, eine andere

Stimmung herrscht im Raum, als hätte sich ein Vorhang geöffnet. Auf der Bühne drei Personen beim Abendessen.

Ich hole Luft und erzähle von meinem Abstecher in den Central Park. Von Salinger. Und den Enten. Trocken wirft Martha ein, Salinger in den Fünfzigern einmal auf einer Cocktailparty begegnet zu sein – ein hochgewachsener, charmanter Mann.

Rebecca lacht. Ihre eigenen Erfahrungen mit Literatur beschränkten sich auf die Collegezeit, sagt sie. Englische und amerikanische Klassiker. Jane Austen. Henry James.

Ich erwähne mein Germanistikstudium in Köln, woraufhin Martha sich nach neuen Strömungen in der deutschen Literatur erkundigt. Bedauernd zucke ich mit den Schultern – keine Ahnung.

Zwischenzeitlich werden unsere Teller abgeräumt, Wein wird nachgeschenkt und der nächste Gang serviert. Erneut beschleicht mich das Gefühl, mich in einem Traum zu befinden – ein Empfinden, das nicht zuletzt durch die angenehme Benommenheit verstärkt wird, die der Alkohol in mir auslöst. So oder zumindest so ähnlich habe ich mir den heutigen Abend vorgestellt. Eine alte, von mir aus leicht verschrobene Millionärin, ihre hübsche Assistentin und ich. Ein anregendes Tischgespräch in angenehmer Gesellschaft. Draußen, vor den Fenstern, die Lichter New Yorks.

Doch selbst in meinen verrücktesten Phantasien wäre ich nicht auf den Gedanken gekommen, hier auf die Verfasserin des Tagebuches zu stoßen. Auf Martha. Meine Urgroßmutter.

Ich lege das Besteck zur Seite, konzentriere mich und

stelle ihr die entscheidende Frage. *Die* Frage, wenn man so will.

»Entschuldigen Sie, aber was macht Sie so sicher, dass Hedi schon vor langer Zeit gestorben ist? Dass sie nicht meine Großmutter sein kann? Wie kommen Sie darauf?«

Als handele es sich um ein Stichwort, betritt die ebenfalls schon recht betagte Mexikanerin, die die ganze Zeit serviert hat, den Raum und meldet, der Kaffee könne nun im Salon eingenommen werden.

Martha mustert mich nachdenklich. »Lassen Sie uns wieder hinübergehen. Ich verbringe die meiste Zeit des Tages drüben«, erklärt sie, »im Kreise meiner Lieben. Dort fühle ich mich am wohlsten.«

Ich denke an den großen Raum, in den Rebecca mich nach meiner Ankunft geführt hat. An die zahllosen Fotos an den Wänden. Und an das letzte Foto in der Reihe mit dem bis auf die Knochen abgemagerten dunkelhaarigen Mann. Ich erwidere Marthas Blick. »Werde ich dort eine Antwort auf meine Frage bekommen?«

Sie zögert. Dann trifft sie offenbar eine Entscheidung. »Ich fürchte, wir werden eine Zeitreise antreten. Rebecca, Sie und ich. Allerdings müssen Sie sich Ihr Ticket verdienen, junger Mann. Indem Sie lesen. Laut und deutlich vorlesen, für uns alle.« Sie hebt die Hand, als ich sie unterbrechen will. »Geduld, es ist nicht einfach für mich. Im Gegenteil. Ich brauche Ihre Hilfe. Sie sollen mich begleiten. Sie und Rebecca. Es ist eine Reise auf den Grund meiner Erinnerungen. Sie macht mir Angst.«

Türnow

(1939–1945)

10. September 1939
Adam ist weg. Stattdessen haben wir Krieg. Tag und Nacht rattern Lastwagen, Panzer und andere Wehrmachtsfahrzeuge durch die Lange Straße, hinterlassen eine Wolke aus Staub und Abgasen.
Es ist, als hätte man mir den Sohn genommen, den ich nie gehabt habe. Mir den Sohn. Hedi den Bruder.
Unfug, er ist nicht mein Sohn. Und er ist, Gott sei Dank, nicht tot. Seine Eltern haben ihn in Sicherheit gebracht. Auch wenn wir keine Nachricht erhalten haben.

□ △ ○

3. Oktober 1939
Der Nächste ist verschwunden. Doktor Goldstein. Wir haben es erst zwei Tage später erfahren. Sie haben ihn und seine Familie abtransportiert. Zusammen mit zehn weiteren jüdischen Familien.
Die Gerüchteküche brodelt. Die einen sagen, sie würden außer Landes gebracht; andere reden von Stutthof, einem Lager in der Nähe von Danzig. Was sollen wir glauben? Was wollen wir glauben?

□ △ ○

15. Oktober 1939
Hedi tanzt nicht mehr. Sie sagt, ohne Adam sei es nicht mehr dasselbe. Sie hat recht. Nichts ist mehr dasselbe.
Der Polenfeldzug ist nach fünf Wochen zu Ende gewesen. In Türnow hat eine Reihe von Verhaftungen stattgefunden. Angeblich ist die Kurze Straße ein polnisches Widerstandsnest – Schuster Szymacek der Anführer. Schuster Szymacek!

Vater meint, außer zum Schlafen habe er seinen Laden nicht verlassen. Und selbst das nicht regelmäßig. Wenn Fleiß und Arbeit Widerstand bedeuteten, sagt er, sei Szymacek allerdings ein Rädelsführer.

□ △ ○

20. November 1939
Erst nach und nach wird uns bewusst, dass wir uns mit Ländern wie England und Frankreich im Krieg befinden. Länder, die, von Türnow aus gesehen, sehr fern sind. Oder auch nicht.
Am Bauhaus habe ich Céline, eine Französin, kennengelernt. Und John, den Engländer. Sie waren witzig und beide auf ihre Art ein wenig verrückt. Ich habe sie gemocht.

□ △ ○

14. Februar 1940
Die Kapelle gibt es nicht mehr. Fast alle Männer sind eingezogen worden. Vater rennt wie ein Tiger durchs große Haus. Elfriede spielt mit ihm Offiziersskat. Das hilft. Zumindest zeitweilig.

□ △ ○

20. Juli 1940
Wir müssen auf alles gefasst sein. Johann ist nachgemustert und erneut zurückgestellt worden. Wie lange hilft ein Klumpfuß gegen Krieg?

□ △ ○

8. März 1941
Die Tanzschule wird geschlossen. Auf persönliche Anordnung von Gauleiter Walen. Junge deutsche Männer und Frauen hätten in diesen Zeiten Wichtigeres zu tun, als sich frivolen Vergnügungen hinzugeben.
Auch in der Ordensburg bin ich nicht mehr erwünscht. Die Häftlinge werden zu Arbeitsdiensten gezwungen. Die Gestapo stuft sämtliche Mitarbeiter aus dem Ort als unzuverlässig ein. Sie seien zu »polenfreundlich«.
Inzwischen sitzen Menschen aus vielen Ländern Osteuropas in Türnow im Gefängnis. Die einheimischen Wärter werden ausgetauscht. Männer mit harten Gesichtern übernehmen die Aufsicht. Ebenfalls aus Osteuropa.

□ △ ○

22. Juni 1941
Im Volksempfänger eifert die bekannte Stimme und erklärt, wir befinden uns jetzt auch im Krieg mit Russland. Vater sagt, wer mit dem Teufel am Tisch sitzt, braucht einen langen Löffel – er meint Stalin. Ein Vertrag mit Hitler sei nicht das Papier wert, auf dem er stehe.
Er sagt es nur leise.
Erst unlängst haben wir zum ersten Mal das Wort Denunziation gehört.

□ △ ○

25. Januar 1942
Früher sind wir über die Grenze gegangen, um Pilze und Blaubeeren zu sammeln. Es gibt keine Grenze mehr – alles ist Deutsches Reich.

Hedi wird jetzt täglich vom BDM nach drüben geschickt. Ihre Kameradinnen und sie sind dabei behilflich, sogenannte ›Volksdeutsche‹ anzusiedeln. Ich verstehe es nicht. Da, wo früher Polen gelebt haben, sollen jetzt andere Polen leben. Hedi kann es mir auch nicht erklären.
Sie weint, wenn sie zurückkehrt. Sie weint jeden Tag. Armut, Hunger, Furcht und Verzweiflung. Die Reiter der Apokalypse, die zunehmend auch bei uns, in Türnow, anzutreffen sind. Sie unterscheiden weder nach Herkunft noch Nationalität.

□ △ ○

13. März 1942
Johann und ich machen einen Spaziergang. Wir gehen zur Eisenbahnbrücke am Rande der Stadt. Sie wurde vor dem Krieg gebaut. Vor dem Ersten Krieg. Allerdings ist sie nie fertiggestellt worden. Links und rechts ragen ihre Arme ins Leere. Wie ein riesiges T steht sie inmitten der Landschaft. T wie Trauer. T wie Tod. Johann nimmt mich in den Arm. T wie Trost.

□ △ ○

2. Oktober 1942
Vater hat eine neue Beschäftigung gefunden. Er leitet einen Frauenchor. Karl Theodor Walen persönlich hat angefragt. Erst dachte Vater, Walen wolle ihn auf den Arm nehmen oder schlicht demütigen. Dann stellte sich heraus, dass nur wenige Kilometer von Türnow entfernt ein Frauenlager errichtet worden ist. Die Insassinnen sind ausschließlich Ukrainerinnen. Das Internationale Rote Kreuz plant, In-

spektionen durchzuführen. Vater soll helfen, das Lager menschlicher zu gestalten.
Er erklärt, die Musik helfe den Frauen zu überleben. Darum und nur darum mache er es.

□ △ ○

10. Oktober 1942
Der Volksempfänger berichtet über ein Großdeutsches Dichtertreffen in Weimar, das mit einem Vortrag von Professor Adolf Bartels eröffnet wurde. Von Ella ist nicht die Rede.

□ △ ○

14. April 1943
Jemand aus der Stadt behauptet, er habe Adam gesehen. Er sei Widerstandskämpfer geworden und treibe sich in den Wäldern um Türnow herum; beobachte Truppenbewegungen und helfe, Nachrichten in und aus dem Lager der Ukrainerinnen zu schmuggeln. Adam, der, statt zu tanzen, wie ein Falke den Proberaum gekreuzt hat. Ich weine. Vor Erleichterung und Verzweiflung.

□ △ ○

10. Januar 1945
Herrgott, es ist geschehen! Johann wurde zum Volkssturm einberufen. Wir können kaum Abschied nehmen, da er bereits am nächsten Morgen wegmuss, um die »Festung Breslau« zu verteidigen. Angeblich stehe der Russe vor der Tür.

□ △ ○

20. Januar 1945
Die ersten Bombenabwürfe. Vier Tag- und drei Nachtangriffe. Otto, Elfriede, Hedi und ich verbringen die Nacht im Keller. Mit einem Mal ein Riesenradau. Die Erde bebt. Am nächsten Morgen stellt sich heraus, das große Haus wurde um ein Haar getroffen, aber seine Mauern haben standgehalten. Unsere Wohnung ist unversehrt.

□ △ ○

21. Januar 1945
Beim gestrigen Bombenangriff sollen fünfundachtzig Zivilisten und dreißig Wehrmachtsangehörige getötet worden sein. Keine Nachricht von Johann!

□ △ ○

22. Januar 1945
Die Partei und mit ihr Karl Theodor Walen haben die Stadt verlassen. Ohne Mitteilung an die Bevölkerung. Wissen sie mehr als wir?

□ △ ○

25. Januar 1945
Die Glocken läuten. Frühmorgens um drei Uhr werden alle Bewohner Türnows mobilgemacht, um die Stadt zu räumen. Die Soldaten an unserer Tür sagen, der Russe sei in Kürze da. Es heiße, rette sich, wer kann.
Vater weigert sich! Er sagt, er sei zu alt, um noch irgendwohin zu gehen. Außerdem könne der Russe nicht schlimmer sein als die Nazis.

Elfriede bleibt bei ihm.
Weiter keine Nachricht von Johann! Wie auch? Es gibt keine Post und keine Telefonleitungen mehr. Die Bomben haben alles zerstört.
Otto drängt Hedi und mir einen Rucksack und zwei Decken auf. Er mahnt uns zur Eile. Elfriede weint. Hedi und ich auch. Wir hasten zum Bahnhof. Der einzige und letzte Zug fährt jeden Moment ab.
Vater hat darauf bestanden, dass wir fliehen. »Ihr müsst leben«, hat er gesagt, »wir nicht.«
Jetzt sind wir allein.

□ △ ○

25. Januar 1945
Endlich erreicht der Zug Lauenburg. Die ganze Zeit dachten wir, russische Flieger greifen uns an. Hedi und ich breiten unsere Decken aus. Wir werden die Nacht im Gepäckwagen verbringen. Abends die Nachricht, Türnow stehe unter Beschuss und Bombenhagel. Mein Gott – Otto, Elfriede …

□ △ ○

26. Januar 1945
Wir müssen zu Fuß weiter. Der Zug bleibt in Lauenburg stehen. Die Lokomotive ist kaputt. Bis Gotenhafen sind es sechzig Kilometer. Wir brauchen zwei Tage. Etwa zweihundert Menschen. Es ist kalt, wir haben Hunger. Was ist mit denen, die in Türnow geblieben sind?

□ △ ○

28. Januar 1945
Man hat uns in einer Schule untergebracht. Alles ist überfüllt, überall Menschen. Hauptsache ein Dach über dem Kopf. Wir müssen uns Schiffskarten besorgen. Der Russe rückt immer weiter vor. Bald hat er uns eingeholt.

□ △ ○

29. Januar 1945
Nachdem wir zwölf Stunden in Kälte und Regen, frierend und hungrig, angestanden sind, haben wir es geschafft! Wir besitzen zwei Karten für ein Schiff in Richtung Westen. Es kann angeblich zweitausend Menschen an Bord nehmen. Sein Name lautet Wilhelm Gustloff.

□ △ ○

30. Januar 1945
Vor Aufregung und wegen der Enge und des Lärms in der Turnhalle haben wir nicht geschlafen. Stattdessen sind wir früh aufgestanden und zum Hafen gelaufen, um einen Platz auf der Gustloff *zu bekommen. Wir haben nicht als Einzige diese Idee gehabt.*
Soldaten, Verwundete, SS-Leute und Zivilisten. Der Pier wimmelt von Menschen. Männer, Frauen, Junge, Alte und Kinder, Kinder, Kinder. Der Aufgang zum Schiff ist völlig verstopft. Am oberen Ende steht ein Offizier mit einer Liste in der Hand. Wahrscheinlich soll er zählen, wie viele Menschen an Bord gehen …
Wir drängeln und schubsen wie alle anderen, bis wir schließlich ein winziges Plätzchen auf dem Vorderdeck ergattern. Erschöpft schläft Hedi ein, während ich das tue, was ich in

den letzten Tagen immer getan habe: Ich lege Zeugnis ab! Wenn auch nur kurz, denn auch mir geht die Kraft aus. Aber ich weiß, dass gerade etwas Ungeheuerliches geschieht, wovon ich nichts vergessen darf.
Unversehens werde ich grob am Arm gepackt. »Runter, wir brauchen mehr Platz für unsere Kameraden!«, bellt mich ein SS-Mann …

New York

(2001)

Meine Stimme hallt im Salon der Suite im *Marriott World Trade Center* nach. Wie von Martha gewünscht, besser gesagt, wie von ihr befohlen, habe ich vorgelesen. Ich habe vorgelesen, bis es nichts mehr vorzulesen gab, bis die Worte in ihrem Tagebuch unvermittelt abgebrochen sind. Weggebrochen, mitten im Satz. Sich wie loses Gestein von einer scharfen Felskante gelöst haben.

Rebecca, neben mir auf dem Sofa, hat die ganze Zeit still zugehört. Irgendwann hat sie die Schuhe abgestreift und die Beine unter sich gezogen. Gegenüber, im Halbschatten der Stehlampe, Marthas winzige Gestalt im Lehnstuhl. Eher ein Geist denn ein lebendiger, atmender Mensch.

Auf dem Tisch ein silbernes Tablett. Milch und Zucker. Dazu hauchdünne Schokoladenplättchen. Beinah gewaltsam muss ich mir bewusstmachen, wo ich mich befinde.

Nur wenige Augenblicke zuvor bin ich auf der Flucht gewesen. Halb verhungert, fast erfroren. In Gotenhafen, im Kriegswinter 1944/45. Gotenhafen, das heute Gdingen heißt, wie ich vor einigen Monaten recherchiert habe. Die *Wilhelm Gustloff.* Ein Schiff in die Freiheit, die Rettung dicht vor Augen.

Marthas Notizen enden mitten im Satz. Hedi schläft, als Martha beider Schicksal in Gestalt eines SS-Mannes begegnet.

Doch was geschieht dann? Wieso werden Martha und Hedi getrennt? Scheinbar für immer?

Ich blicke zu Martha. Ihre Augen glänzen im gedämpften Licht der Stehlampe. Während ich vorgelesen habe, hat sie mich durchgehend beobachtet. Plötzlich erscheint eine einzelne Träne in ihrem Augenwinkel, kostbar wie eine Perle, löst sich und läuft ihr die Wange hinab.

»Sie können sich nicht vorstellen«, flüstert sie, »wie gerne ich Ihnen glauben würde, Thomas. Dass Hedi überlebt hat und Sie ihr Enkel sind. Aber es ist unmöglich. Hedi Wetzlaff ist am 30. Januar 1945 gestorben. Zusammen mit neuntausend anderen Menschen ist sie mit der *Wilhelm Gustloff* untergegangen und ertrunken. Und ich habe sie umgebracht!« Wie vorhin stößt sie ihren Stock auf den Boden. Einmal. Zweimal. Dreimal.

Die Scheiben des Salons sind doppelverglast, dennoch dringt leise das Rauschen des spätabendlichen New Yorker Verkehrs durch die Vorhänge. Mitternacht in der Stadt, die niemals schläft. Durch einen Spalt sehe ich ferne Lichter. Autos hupen, Polizeisirenen jaulen. Alles gedämpft, wie aus einer anderen Welt.

Die *Wilhelm Gustloff*. Eine der größten Schiffstragödien aller Zeiten. Zahllose Menschen – Männer, Frauen und Kinder – fanden in den eiskalten Fluten der Ostsee den Tod. Bei meiner Internetrecherche über Pommern, das Ende des Zweiten Weltkrieges und die große Flucht bin ich darauf gestoßen.

Martha hebt den Zeigefinger. »Ich bin weder verrückt noch unbelehrbar, Thomas, aber ich habe für fünfundvierzig Millionen Dollar meine eigenen Aufzeichnungen zurückgekauft, nur um herauszufinden, welchen Weg das Notenheft nach Hedis Tod genommen hat. In wessen Hände es gelangt ist und wer sich ein halbes Leben lang als Hedi Wetzlaff ausgegeben hat.«

Erschöpft hält sie inne. Ihre Worte klingen endgültig. Plötzlich sieht man ihr jedes einzelne ihrer hundertundeins Lebensjahre an. Mit brüchiger Stimme fährt sie fort: »Ich will Ihnen erklären, woher ich meine Gewissheit nehme, auch wenn es mehr als schwer ist …«

»Nein!« Rebecca fällt ihr ins Wort. »Tun Sie es nicht, Mrs Styp, bitte. Es strengt Sie zu sehr an.«

Müde winkt Martha ab. »Schon gut, Rebecca, ich habe es begonnen, nun lassen Sie es mich auch zu Ende bringen.«

Sie schließt die Augen und setzt mit ihrem Bericht da ein, wo ihre Notizen abgebrochen sind. Sie spricht leise, gleichförmig, als würde sie die Sätze ablesen und nicht frei formulieren. Abgekämpft, entkräftet, unzählige Male im Geiste durchdacht, durchqueren ihre Worte ein ganzes Jahrhundert, bis sie in der Gegenwart ankommen.

»Nachdem der SS-Mann mich grob am Arm gepackt hatte, drehte er sich zu den anderen Flüchtlingen um und befahl ihnen ebenfalls, die *Wilhelm Gustloff* zu verlassen. Ein ungeheures Durcheinander brach los. Ich nutzte die Gelegenheit und warf eine Decke über Hedi, um sie in dem Chaos unsichtbar zu machen. Mit bebenden Fingern versuchte ich aufzuschreiben, was geschah, als ich angerempelt wurde und mir der Stift aus der Hand fiel. Es blieb keine Zeit, ihn zu suchen. Hastig verstaute ich das Notenheft in dem Rucksack unter Hedis Kopf. Egal, was passierte, sie sollte immer wissen, wer sie war und wo sie her kam.

Unglaublicherweise bemerkte sie von dem Drama ringsherum nichts. Zu tief war ihr Erschöpfungsschlaf, zu kräftezehrend die Entbehrungen, denen sie in den Tagen zuvor ausgesetzt gewesen war.

Die Menschen auf dem Vordeck wehrten sich, hatten gegen die SS-Leute aber keine Chance. Sie stießen uns brutal von Bord. Einige von uns wurden über die Reling geworfen, andere von Deck getreten. Man drängte uns zum Fallreep; ein Großteil des Gepäcks, einschließlich des Rucksacks und der unter der Decke verborgenen Hedi, blieb zurück. Kurze Zeit später stand ich allein auf dem Pier, während um mich herum die Hölle tobte. Männer fluchten, Frauen schrien. Zahllose Kinder weinten sich die Seele aus dem Leib.

Ich weiß nicht, wie lange ich in der Kälte ausharrte, doch ich musste mit eigenen Augen sehen, ob mein Täuschungsmanöver gelungen und Hedi an Bord geblieben war, um gerettet zu werden. Plötzlich stieß die *Gustloff* ein heiseres Tuten aus, die Gangway wurde hochgeklappt und der Anker gelichtet. Es muss um die Mittagszeit gewesen sein, als sie langsam und majestätisch eine Kurve beschrieb und Gotenhafen verließ. Die Decks und sämtliche Aufbauten waren schwarz von Menschen. Wie Fliegen, die auf einem Stück Sahnekuchen sitzen.

Mir fehlt jede Erinnerung an den Rückweg, wie es mir gelungen ist, mich wieder nach Türnow durchzuschlagen. Ob ich Hilfe hatte oder es allein geschafft habe. Ich war blind und taub vor Erschöpfung, Trauer und Zorn. Gleichzeitig erfüllte mich ein glühendes Gefühl der Hoffnung. Was auch passierte, Hedi wäre in Sicherheit.

Tage, Wochen, Jahre später kam ich in Türnow an. Überquerte die Brücke über den Fluss und bog um die Kurve. Endlich. Da lag es. Das große Haus.

Es *lag* da.

Die Zeit stand still.

Ich lief zu den Trümmern, begann mit bloßen Händen zu graben. Ich war wie von Sinnen; schrie, weinte, konnte nicht aufhören, in den Ruinen meines Lebens zu wühlen. Nachbarn kamen angelaufen, legten mir eine Decke um die Schultern und nahmen mich mit. Sie gaben mir zu essen und erklärten mit leiser Stimme, dass Otto und Elfriede tot seien. Umgekommen bei dem Volltreffer auf das große Haus. Man habe sie unter den zerstörten Mauern hervorgezogen, aber es sei zu spät gewesen.

Anscheinend waren sie nicht einmal in den Keller gegangen, um sich zu schützen. Als ob sie nach Hedis und meiner Flucht das Schicksal herausgefordert hätten. Ich hörte Vaters Stimme in meinem Kopf: *Ihr müsst leben*, hatte er gesagt, *wir nicht.*

Ich weinte die ganze Nacht. Um die so brutal von meiner Seite gerissene Hedi. Um meinen vermissten Johann. Und um meine geliebten Eltern – um Elfriede, Otto und Wolfgang.

Wann ist man erwachsen? Wenn man kein Kind mehr ist.

Und wann ist man kein Kind mehr? Wenn man keine Eltern mehr hat.

Ich würde immer Eltern haben. Tote Eltern.

Erst am Morgen versiegten meine Tränen. Ich zog mich an, stand auf und ging die Treppe hinunter. Bekannte fremde Gesichter. Eine Küche, die anders roch als unsere. Auch hier lief der unvermeidliche Volksempfänger. Es wurde über die Gräueltaten der Russen berichtet. Eines ihrer U-Boote hatte ein ziviles deutsches Schiff versenkt. Tausende Menschen waren ertrunken. Der Name des Schiffs lautete *Wilhelm Gustloff.*

Ich drehte mich um. Die Nachbarn wussten nichts von Hedi, der SS und unseren Schiffstickets. Ich hatte noch nichts erzählt.

Der Flur war leer. Ich öffnete die Haustür und ging hinaus. Schnee, Kälte und ein trübes Morgengrau nahmen mich in Empfang. Führten mich an den Stadtrand und von da in den Wald.

Ich hatte Hedi in den Tod geschickt. Ich allein. Hatte sie schlafen lassen und damit dem sicheren Verderben ausgeliefert. Hätte ich sie wachgerüttelt und mitgenommen, stünde sie jetzt an meiner Seite. Stattdessen hatte ich mich selber gerettet und überlebt.

Es gab kein schlimmeres Verbrechen. Ich gehörte zum Tode verurteilt. Wenigstens würde ich genug Anstand besitzen, das Urteil selber zu vollstrecken. Ich zog meine Strickjacke aus und legte mich in den Schnee. Schloss die Augen. Das Ende durchströmte mich.

Und alle kamen sie, um mir Geleit zu geben.

Otto und Elfriede, staubbedeckt, mit zerrissener Kleidung; gezeichnet von zahllosen Schnittwunden und Quetschungen. Wolfgang mit schweren Steinen in den Taschen und tropfnassem Haar. Johann, in einem Sturzbach blutend, da, wo sein Klumpfuß samt dazugehörigem Unterschenkel von einer Granate weggerissen worden war.

Sie alle kamen und wärmten mich. Streichelten mir sanft über die Wange und spendeten Trost. Ganz zum Schluss kam Adam. Zum Mann gereift. Mit wehendem schwarzem Haar, in einen Partisanenmantel gehüllt. Er hob mich auf und hielt mich in seinen jungen, starken Armen. Da war er, mein letzter Tanz auf Erden. Ich starb.«

Sie ist nicht gestorben, damals im Wald bei Türnow. Weder in jenem Augenblick noch in der langen Zeit danach. Sechsundfünfzig Jahre später, mehr als ein halbes Jahrhundert nach den schrecklichen Ereignissen von damals, sitzt Martha mir gegenüber in ihrem Sessel in ihrer Suite im *Marriott World Trade Center.* Uralt, winzig klein, aber ohne jeden Zweifel lebendig.

Ich glaube ihr. Ich glaube ihr, dass sie gestorben ist, und ich glaube ihr, dass sie überlebt hat.

Sie ist Martha.

Ich weiß es.

Unsicher, ob es richtig ist, was ich tue, stehe ich auf und gehe zu ihr. Ich beuge mich hinab, schließe sie in die Arme und ziehe sie an mich. Ziehe meine Urgroßmutter an mich.

Sie fühlt sich unendlich zerbrechlich an. Lange verharren wir so. Schweigend, wortlos.

Schließlich bricht Rebecca das Schweigen. »Sie erlauben, dass ich übernehme und den Rest der Geschichte erzähle, Mrs Styp«, sagt sie sanft.

»Es war kein Traum damals, im Wald bei Türnow. Es war wirklich Adam, der Martha gefunden und aufgehoben hat. Er brachte sie über die ehemalige Grenze nach Polen und versteckte sie in einer Scheune bei Verwandten. Nachdem die Russen Pommern besetzt hatten, wurde schnell klar, dass es nicht die Art Befreiung war, die sich alle erhofft hatten. Wie zuvor unter den Nazis gab es Verhaftungen, Willkür und Terror. Adam beschloss, nach Amerika auszuwandern. Wie ein sperriges Gepäckstück klemmte er sich seine – nach wie vor in einem Zustand völliger Betäubung befindliche – ehemalige Tanzlehrerin unter den Arm und organisierte die Überfahrt. Als sie in New York ankamen, suchte er, ohne auch nur einen einzigen Moment zu zögern, die Metropolitan Opera auf, um vorzutanzen. Er war brillant. George Balanchine, der in Russland eine klassische Ballettausbildung genossen und Klavier und Komposition studiert hatte, erkannte sein Talent sofort. Er empfahl Adam, den Ausdruckstanz aufzugeben und zum klassischen Ballett zu wechseln. Bevor er ihn in seine Kompanie aufnahm, fragte er Adam, wo er tanzen gelernt habe. Adam stellte Balanchine Martha vor. Balanchine bat Martha, für ihn zu arbeiten.

Ganz langsam kehrte sie ins Leben zurück. Es muss wie damals am Bauhaus für sie gewesen sein; Tag für Tag junge, talentierte, kreative Menschen. Mit dem Unterschied, dass sie jetzt selber unterrichtete; ihre Vision von Tanz und Ausdruck weitergab.

Das Ballett und die Kompanie von George Balanchine wurden für Martha zur Ersatzfamilie. Eigentlich hätte alles gut sein können, doch schon bald nach ihrer Ankunft in Amerika ergriff ein Dämon von ihr Besitz. Sie besorgte sich die Überlebendenlisten der *Wilhelm Gustloff* und schrieb Hunderte von Briefen. Sie führte ebenso viele Telefonate, aber niemand konnte sich an eine junge Frau erinnern, die, unter einer Decke versteckt, auf dem Vorderdeck aufgewacht war. Viele der Menschen, die sie kontaktierte, verfluchten weinend die SS, die sie von ihren Angehörigen getrennt und in tiefste Verzweiflung gestürzt hatte. Doch in keinem der Gespräche tauchte eine junge Frau mit Namen Hedwig Wetzlaff auf. Sie musste, wie die meisten anderen, beim Untergang der *Wilhelm Gustloff* ertrunken sein.

Währenddessen wurde Adam ein Star. Er tanzte auf allen wichtigen Bühnen der Welt, ging auf Tournee, um letztlich wieder nach Hause, zu Martha, zurückzukehren. Er hatte Affären mit verschiedenen Tänzern, doch es war Martha, der er Anfang der Achtziger die Suite im *Vista Hotel*, dem späteren *Marriott World Trade Center*, überließ, damit sie im hohen Alter nicht mehr umzuziehen brauchte. Zu dem Zeitpunkt war er bereits von der Krankheit gezeichnet. Niemand wusste, wo sie herkam. Keiner konnte sie behandeln. Zahllose, vor allem junge Menschen fanden den Tod. Als Adam starb, hinterließ er Martha sein gesamtes Hab und Gut.

Nach seinem Tod zog sie sich von der Metropolitan Opera zurück. Sie verließ kaum noch die Wohnung. Vor drei Jahren hat sie mich als ihre persönliche Assistentin eingestellt, damit ich mich um ihre schriftlichen und finanziellen Angelegenheiten kümmere. Die Tage verliefen gleichbleibend ruhig. Martha schien eine Art inneren Frieden gefunden zu haben.« Rebecca hebt den Blick. »Bis vor etwa einem Jahr die Kunstwelt in Aufruhr geriet. Im fernen Deutschland war ein wertvolles Tagebuch aufgetaucht. Ein Notenheft voller unbekannter Bilder berühmter Bauhaus-Künstler sei gefunden worden und werde demnächst bei Sotheby's versteigert. Nun ja«, Rebecca macht eine kurze Pause, »der Rest der Geschichte dürfte Ihnen hinlänglich bekannt sein«, beendet sie ihren Bericht.

Ich überlege. Mein Blick wandert über die Fotos an den Wänden. Den Kreis ihrer Lieben, wie Martha sie genannt hat. Die Reihe bricht plötzlich ab. Der völlig ausgezehrte Mann mit der immer noch trotzigen schwarzen Mähne, das muss Adam sein. Rebecca hat es angesprochen – es ist kein Zufall, dass er einen jungen Tänzer im Arm hält.

Adam, der wie im Tagebuch beschrieben, bereits als

Elfjähriger in Türnow den Proberaum wie ein Falke gekreuzt hat. Adam, den Martha später aus dem Gefängnis geholt und ihm damit das Leben gerettet hat.

Er hat seine Schulden beglichen.

Beide sind sie in Europa nur knapp dem Tod entronnen und danach über Jahrzehnte in New York vereint gewesen. Botschafter einer vergangenen Zeit. Bis ein weiterer, diesmal unsichtbarer Tod Adam gestoppt hat. Bis dahin nahm er den Platz des Sohnes ein, den Martha nie gehabt hat. Anstelle der Tochter, die sie an die eisigen Fluten der Ostsee verloren glaubte.

»Oma hat nicht gelesen!« Ich richte meine Worte an niemand Bestimmtes. Martha und Rebecca starren mich beide an. »Stattdessen hat sie Fernsehen geguckt«, fahre ich unbeirrt fort. »Für ihr Leben gern. Alles, was gesendet wurde, kreuz und quer. Das TV-Gerät war ihr sicheres Fenster in eine unsichere Welt. Als Kinder haben meine Schwester und ich uns oft dazugehockt. Mal mit und mal ohne Wissen unserer Eltern.« Ich halte inne. »Eines Abends lief ein Dokumentarfilm über den Untergang der *Wilhelm Gustloff*. Sie zeigten Archivbilder. Gotenhafen. Schiffe, die von Menschen überquollen. *Genau so ist es gewesen*, hat Oma leise gesagt.«

Ich wende den Kopf und blicke Martha direkt an. Ich habe nur diese eine Chance, sie zu überzeugen.

»Hedi hat nicht viel von ihrem Leben in Türnow und schon gar nicht von der Flucht erzählt. Mit Ausnahme dieses einzigen Abends. Ich vermute, deswegen hat er sich meiner Schwester und mir so eingeprägt. Nach Omas Tod haben wir uns zusammengesetzt und sind gemeinsam unsere Erinnerungen durchgegangen. Es steht fest: Hedi ist nicht auf der *Gustloff* gewesen, als diese unterging. Sie war auf einem anderen Schiff.«

Martha erwidert meinen Blick mit unergründlicher Miene. Sie schweigt. Aber hört mir zu.

»Tatsächlich ist Hedi damals unter ihrer Decke gefunden und ebenfalls gezwungen worden, die *Wilhelm Gustloff* zu verlassen. Sie hat uns erzählt, dass sie auf dem Pier in Gotenhafen verzweifelt nach ihrer Mutter Ausschau gehalten habe, aber ohne Erfolg. Schließlich sei ein hilfsbereiter Soldat auf sie aufmerksam geworden und habe sie zu einem kleinen Kahn geführt, der zu einer Insel namens Hela hinausfuhr. Dort habe sie die Nacht verbracht, um am nächsten Morgen in einem größeren Boot zur *Potsdam* hinübergebracht zu werden, einem weiteren Flüchtlingsschiff. Über und über mit Frauen, Kindern und älteren Männern beladen und Hunderten von verwundeten Soldaten, setzten sie im Geleit nach Dänemark über. Trotz eines U-Boot-Treffers seien sie wohlbehalten in Kopenhagen angekommen, wo bereits Bahnwagen auf sie warteten. Zu dem Zeitpunkt war Dänemark noch fest in deutscher Hand, und freundliche Wehrmachtssoldaten reichten ihnen Schmalzbrote und gekochte Eier. Nach mehrstündiger Reise gingen sie schließlich auf eine Fähre und erreichten gegen Abend, nach erneuter Bahnfahrt, Tondern. Von dort aus sei es nach Süder Seierslev gegangen, einem angeblich hübschen kleinen Dorf. Ein einheimischer Lehrer habe sie in Empfang genommen, und zu etwa sechzig Personen wurden sie in der Turnhalle der örtlichen Schule untergebracht.

Nie werde sie den Tag vergessen, erzählte Hedi, an dem die deutschen Soldaten zu ihnen gekommen seien und erklärt hätten, ab morgen seien sie alle Gefangene – Deutschland habe den Krieg verloren.

Doch auch danach hätten die Dänen sie human behandelt. Nach einem halben Jahr habe man sie nach Oxböl verlegt – einem großen Lager, in dem ungefähr dreißigtausend Menschen lebten. Zwei Jahre, berichtete Hedi, habe sie hinter Stacheldraht, aber unter ansonsten guten Bedingungen verbracht. Mit Hilfe des Internationalen Roten Kreuzes habe sie Verbindung in die Heimat aufgenommen. Das Ergebnis sei niederschmetternd gewesen. Als sie erfuhr, dass das große Haus zerstört, dass Otto und Elfriede umgekommen und Johann und Martha vermisst und aller Wahrscheinlichkeit nach tot waren, sei sie zusammengebrochen. Wenig später habe sie den Vater meines Vaters kennengelernt und sei schwanger geworden. Tragischerweise sei er an den Folgen einer Tuberkulose gestorben, so dass sie 1947 von Dänemark aus allein und hochschwanger in den Westen gelangt sei, wo schließlich mein Vater geboren wurde.« Ich mache eine Pause. »Das ist es, was sie uns damals erzählt hat. Und das ist alles, was ich weiß«, beende ich mit fester Stimme meinen Bericht.

Das leise Ticken der Uhr auf dem Sideboard erfüllt den Raum. Es ist mittlerweile zwei Uhr morgens.

»Ein Missverständnis …« Marthas Stimme ist kaum zu hören. Sie haucht die Worte mehr, als dass sie sie spricht. »Ein unendlich tragisches Missverständnis.« Sie schluckt. Ihr alter faltiger Adamsapfel geht hoch und runter. »Hedi dachte, ich sei tot. Und ich dachte, sie sei tot.« Zusammengesunken hockt Martha in ihrem Sessel, die blaugeäderte Hand auf den Knauf des Gehstocks gestützt.

Ich nicke. Ein Missverständnis. Und ein Trauma. Das Trauma des Überlebens. Bei Martha ebenso wie bei Hedi. Der Grund, weshalb meine Großmutter nur ein einziges Mal, in einem unbedachten Moment, von ihrem früheren Leben erzählt hat.

»Ich glaube nicht, dass Hedi von der Existenz der Aufzeichnungen in ihrem Rucksack gewusst hat«, sage ich. »Sie hätte es an dem Abend erwähnt. Wenigstens dieses eine Mal.«

Marthas Blick ist weiter ins Leere gerichtet. Ich vermute, auf den Gral ihrer persönlichen Erinnerungen. Wenn ihr Brustkorb sich nicht unmerklich heben und senken würde, könnte man annehmen, sie sei tot. Aber sie ist es nicht. Sie hat alles und alle überlebt.

Ihre Geschichte ist meine Geschichte.

Und umgekehrt.

Ruhig sage ich: »Ich bin Thomas Wetzlaff aus Deutschland. Hedi ist meine Großmutter. Und ob Sie es wahrhaben wollen oder nicht – Sie sind meine Urgroßmutter!«

Gespannte Stille liegt über dem Raum. Die zwanglose Konversation vom Abendessen scheint weit entfernt. Ich weiß nicht, welche Reaktion ich erwarte, doch Martha schweigt. Neben mir zupft Rebecca nervös am Saum ihres Kleides. Plötzlich überkommt mich eine ungeheure Müdigkeit. Die frühe Morgenstunde. Der Jetlag. Die Wärme im Raum. In der vergangenen Nacht habe ich kein Auge zugetan. Ich spüre, wie Rebecca meinen Arm berührt.

»Es ist ein langer Tag gewesen. Für uns alle.« Fragend blickt sie zu Martha, die weiterhin keine Regung erkennen lässt. »Sie sollten jetzt gehen, Thomas.«

»Nein!« Wie ein Messer durchschneidet Marthas Stimme die Stille. Sie hebt den Kopf. »Er wird im Gästezimmer schlafen. Ich will morgen früh mit ihm reden!«

Ich nicke. Bin am Ende. So oder so. Aus meiner Sicht ist alles gesagt.

Eine gefühlte Ewigkeit später wache ich auf, weil jemand die Vorhänge aufzieht. Helles Licht fällt in den geschmackvoll eingerichteten Schlafraum. Mein Kopf schmerzt. Geblendet kneife ich die Augen zusammen.

Rebecca steht am Fenster und sagt: »Guten Morgen. Ich wollte Sie nicht erschrecken, Thomas. Doch ich bin mir unsicher, wann Ihr Flieger zurück nach Deutschland geht. Sie wollen ihn bestimmt nicht verpassen.«

Dunkel erinnere ich mich, im Laufe des gestrigen Abends von meinem heute anstehenden Rückflug gesprochen zu haben.

»Danke«, antworte ich und reibe mir den Schlaf aus den Augen.

Rebecca trägt Bluejeans und eine schlichte weiße Bluse. Auch wenn es unmöglich ist, sie wirkt frisch und ausgeschlafen. Da ist sie wieder – meine Sehnsucht.

»Wo ist Mrs Styp?«, erkundige ich mich mit belegter Stimme.

»Sie erwartet Sie im Speisezimmer, um gemeinsam mit Ihnen zu frühstücken.« Rebecca nickt mir zu und verlässt den Raum.

Im Spiegel des Gästebads beäuge ich kritisch die gerötete Schlaffalte, die sich über meine rechte Wangenhälfte zieht. Ansonsten bin ich blass, dunkle Ringe liegen unter meinen Augen. Kein Wunder, dass Rebecca sich noch so gerade eben beherrschen konnte, über mich herzufallen.

Nachdem ich den Kaltwasserhahn aufgedreht und mir gründlich das Gesicht gewaschen habe, spüle ich mir den Mund aus. Meine Zahnbürste ist im *Four Seasons.* Zuletzt versuche ich, mit feuchten Fingern mein Haar in Ordnung zu bringen. Der Erfolg ist überschaubar.

Im Speisezimmer schlägt mir der versöhnliche Duft eines üppigen Frühstücks entgegen. Gebratene Würstchen, Grilltomaten und Rührei in einem silbernen Behälter. Dazu frisches Weißbrot und eine Art amerikanisches Baguette. Orangensaft, Honig und verschiedene Sorten Käse sind auch im Angebot. Schlagartig rückt die Frage meines äußeren Erscheinungsbildes in den Hintergrund. Ich begrüße Martha, die aufrecht am Kopfende des Tisches sitzt, mit einem höflichen »Guten Morgen« und nehme wie gehabt gegenüber von Rebecca Platz.

Martha hat dasselbe Kleid wie gestern Abend an, doch sie wirkt verändert. Ich kann es nur schwer in Worte fassen, aber es ist eine Art stilles Leuchten, das von ihr ausgeht. Als ob jemand in einer dunklen Kirche eine Kerze angezündet hätte. Lediglich der fiebrige Glanz in ihren Augen passt nicht ganz zu diesem Eindruck.

»Guten Morgen«, grüßt sie zurück.

Es ist ein seltsames Schweigen, das über dem Tisch liegt – weder angenehm noch unangenehm. Martha nippt gedankenverloren an ihrem Tee, wobei ihre Hände deutlich mehr zittern als gestern. Rebecca hat sich Marmelade auf ihr Toastbrot geschmiert, doch ihr Appetit hält sich in Grenzen. Die Scheibe liegt angebissen auf ihrem Teller. Egal. Ich lange hungrig zu.

Wir sind eine Zwangsgemeinschaft.

Überlebende einer langen Nacht.

Aus den Augenwinkeln bemerke ich, wie Martha die blütenweiße Serviette in ihrem Schoß faltet. Sie hebt den Kopf.

»Nun, ich will ehrlich zu Ihnen sein, Thomas. Es hat mich mehr als erschüttert, was Sie mir in der zurückliegenden Nacht haben zuteilwerden lassen.« Ihre Stimme vibriert vor unterdrückter Erregung. »Ein Geschenk fühlt sich anders an – leichter, unbeschwerter. Dennoch muss ich mich bei Ihnen bedanken. Sie haben mich von einer Schuld erlöst, die schwerer wiegt, als Sie es sich jemals vorstellen können.« Sie hält inne. »Gleichzeitig haben Sie mir vor Augen geführt, was ich alles verpasst habe – nicht weniger als ein ganzes Leben. Hedis Leben. Ein Versäumnis, das ich niemals werde wiedergutmachen können. Sie sind nicht dafür verantwortlich, aber«, plötzlich bricht es aus ihr heraus, »ich möchte, dass Sie jetzt gehen!«

Mit einem Mal fühlt sich das Rührei in meinem Mund staubtrocken an. Was hat sie gesagt – ich solle gehen? Kein Wort davon, dass ich ihr frischgefundener Urenkel bin? Oder dass in Deutschland ein Mann lebt, nämlich mein Vater, der Hedis Sohn, sprich, ihr Enkel ist? Vielleicht ist sie doch senil? Hilfesuchend blicke ich zu Rebecca.

Auch diese reagiert erstaunt. »Sie meinen, Mrs Styp, Thomas soll auf der Stelle ...?«

»Sie werden ihn unverzüglich zum Flughafen bringen, Rebecca!« Eine hektische Betriebsamkeit geht von Martha aus. »Ich habe bereits im *Four Seasons* angerufen und darum gebeten, Mr Wetzlaffs Koffer zu packen und an der Rezeption bereitzustellen. Walter ist unterwegs, um ihn abzuholen. Er müsste jede Minute zurück sein.«

Es sind bestimmt keine Verbrüderungsszenen, die ich erwartet habe. Kein rührseliges Einander-in-die-Arme-Fallen. Ich weiß nicht genau, was ich mir vorgestellt habe. Aber das hier mit Sicherheit nicht.

Es ist ein Rausschmiss.

Wie weggewischt ist der Schwebezustand, in dem ich mich in der vergangenen Nacht befunden habe, als Martha von ihren Erlebnissen und ich von denen Hedis erzählt habe. Das Gefühl der Zusammengehörigkeit. Von Familie.

»Entschuldigen Sie, Mrs Styp«, stottere ich, »aber … habe ich irgendetwas falsch gemacht?«

»Sie haben nichts falsch gemacht, junger Mann«, antwortet Martha, »aber ich mache gerade etwas sehr, sehr richtig!« Sie stützt sich auf ihren Stock und steht mühsam auf. »Es ist Zeit, sich zu verabschieden! Rebecca, Sie verlassen bitte umgehend mit Mr Wetzlaff die Suite! Walter wird Sie beide unten in Empfang nehmen!« Sie setzt sich in Bewegung und geht in Richtung Tür. Ähnlich wie gestern Abend wirkt es, als hätte sie sich mit ihrem freien Arm bei jemandem eingehakt. Ein Eindruck, der sich verstärkt, als sie kaum merklich zur Seite nickt. Ins Leere.

Rebecca hat sich wieder gefangen und reagiert gewohnt nüchtern. »Kommen Sie, Thomas, wir wollen Walters Geduld nicht unnötig strapazieren!«

Ich kann bis heute nicht sagen, wie ich von Marthas Suite durch den Hotelflur bis zum Lift gekommen bin. Erst im Erdgeschoss setzt meine Erinnerung wieder ein, als Rebecca vor mir mit energischen Schritten die Eingangshalle durchquert. Wenige Sekunden später treten wir auf die Straße, wo Walter in der schwarzen Limousine wartet.

»Bitte«, sage ich. Ich betrachte Rebeccas klare Züge, ihren leuchtend grünen Blick. »Ich … ähem, würden Sie …?« Der Satz steht mir klar vor Augen, trotzdem kriege ich ihn nicht heraus. Stattdessen stammele ich: »Verhält sich so eine Urgroßmutter ihrem Urenkel gegenüber?«

Für eine Sekunde wirkt es, als ob Rebecca mir etwas sagen wollte. Man spürt förmlich, wie sie mit sich ringt, doch dann ist der Moment vorbei. Sie öffnet die hintere Wagentür. »Wir sollten uns beeilen, Thomas. Mrs Styp ist es gewohnt, die Dinge unter Kontrolle zu haben.«

Über uns ragen die *Twin Towers* in einen strahlend blauen Himmel. Wortlos steige ich ein und blicke auf meine Armbanduhr. Es ist immer noch recht früh. Kurz vor acht am Morgen des 11. September 2001.

Köln

(2001/2002)

Ich kann nicht über die Ereignisse des elften September berichten. Niemand kann das. Abgesehen davon, verfüge ich nicht über mehr Informationen als alle anderen auch. Anfangs wusste ich sogar weniger, da wir durch das landesweite Chaos am Flughafen festhingen und erst nach der Landung in Köln über die genaueren Umstände der Anschläge auf das *World Trade Center* informiert wurden. Bis dahin hatte ich nur die verstörenden Bilder im Kopf, die mir auf den Monitoren in der Abflughalle des JFK entgegengeflimmert waren. Spielzeugflugzeuge, die nacheinander in die *Twin Towers* rasten. Schwarze Rauchwolken und Feuer. Und zuletzt der Einsturz, der totale Zusammenbruch. Erst der Süd-, dann der Nordturm. Todbringende Trümmerteile, die aus zum Teil über vierhundert Metern Höhe auf das *Marriott* fielen und Martha und all die anderen Menschen, die sich darin aufhielten, begruben.

Rebecca befand sich zu diesem Zeitpunkt in Sicherheit, da sie immer noch bei mir war. Walter hatte uns vor der Abflughalle abgesetzt und gewartet. Sie war mit mir ausgestiegen und ins Innere des Gebäudes gegangen. Ich dachte, um mich zu verabschieden, was auch zutraf. Allerdings trug sie noch eine weitere Sache mit sich herum. Eine Botschaft. Genau genommen einen Brief.

»Den bat mich Martha Ihnen persönlich und erst hier zu überreichen«, sagte sie und hielt mir ein cremefarbenes Kuvert hin. »Den Inhalt hat sie mir vergangene Nacht diktiert, nachdem Sie zu Bett gegangen sind.«

Ich betrachtete Rebeccas makellose Züge und stellte fest, dass ich einem Irrtum erlegen war. Im Gegensatz zu mir war sie die ganze Nacht wach gewesen. Sie hatte die Augenringe einfach überschminkt.

»Was steht da drin?«, fragte ich und nahm den Umschlag vorsichtig entgegen.

»Martha bittet Sie, all die Dinge, die Sie gestern Abend gehört haben, sich in Ruhe setzen zu lassen. Erst dann sollten Sie den Brief lesen – mit Abstand.« Rebecca musterte mich mit ruhigem Blick. Sie erschien mir schöner denn je. »Außerdem mögen Sie ihr verzeihen.«

Mit diesen Worten drehte sie sich um und verschwand aus meinem Leben.

Nach der Rückkehr aus New York fuhr ich als Erstes zu meinen Eltern. Sie wollten sich mit eigenen Augen davon überzeugen, dass ich bei den Anschlägen nicht zu Schaden gekommen war. Wie knapp es wirklich gewesen ist, dass ich mich nur eine Dreiviertelstunde vor dem Einschlag des ersten Flugzeuges in den Nordturm auf dem Gelände des *World Trade Center* befunden habe, erzählte ich ihnen nicht. Dafür hätte ich von Martha sprechen müssen, und das war unmöglich. Was hätte ich, insbesondere meinem Vater, sagen sollen – dass ich vollkommen unerwartet seiner Großmutter begegnet war, die sich aber an ihrer Familie nicht sonderlich interessiert gezeigt und mich stattdessen rausgeschmissen hatte?

Bevor es überhaupt möglich wäre, ihnen von meinen Erlebnissen zu erzählen, musste ich mich erst einmal sortieren. Ich zog zurück nach Köln, in meine Wohnung in Ehrenfeld. Nahm mein Germanistikstudium und den Kontakt zu meinen Freunden wieder auf.

Doch die Dinge waren anders geworden.

Ich sitze auf der Fensterbank und blicke hinaus in den dunklen Nachthimmel. Noch eine knappe Stunde, und dieses folgenreiche Jahr ist zu Ende. Zweitausend. Und eins. Zählt es als erstes oder zweites Jahr des neuen Jahrtausends? Ich weiß es nicht. Für mich ist es das erste Jahr eines neuen Lebens.

Die anderen feiern auf der Deutzer Brücke, aber ich habe abgesagt.

Ich will allein sein.

Nicht weit entfernt ragen die rotblinkenden Lichter des *Colonius* in die Höhe. Hoch, doch längst nicht so hoch wie die *Twin Towers.* Auf meinen Knien liegt Marthas Brief. Unser New Yorker Rechtsanwalt hat mir kurz nach den Anschlägen mitgeteilt, dass sie unter den Opfern gewesen ist. Von Rebecca habe ich nichts mehr gehört.

Ob ein Vierteljahr Abstand genug ist? Um ihn zu lesen – den Brief einer Toten?

Ich reiße den Umschlag auf und halte mehrere eng beschriebene Seiten in der Hand. *Courier New.* Wäre das Schriftbild nicht so gleichmäßig, hätten es altmodische Schreibmaschinenlettern sein können.

New York, den 11. September 2001

Lieber Thomas,

gerade eben sind Sie schlafen gegangen – erschöpft von einem langen Abend in der Gesellschaft einer alten Frau. Leider haben Sie Ihre beziehungsweise Hedis Erinnerungen nicht mitgenommen, so dass die Geister der Vergangenheit mir eine schlaflose Nacht bereiten werden. Eine weitere schlaflose Nacht in der langen Reihe schlafloser Nächte, die bereits hinter mir liegen.

So gesehen, nicht allzu schlimm, nur Rebecca ist zu bedauern, die einen letzten Auftrag für mich ausführt – sie schreibt.

Ich sehe, wie sie bei der Formulierung »letzter Auftrag« die Augenbrauen hochzieht; sie wird es, ebenso wie Sie, später verstehen.

Es ist merkwürdig – über ein Jahrhundert weile ich bereits auf diesem Planeten, und dennoch wird die Zeit gen Ende hin knapp. Also will ich zur Sache kommen.

Den Reichtum, den Sie vermutlich zu sehen geglaubt haben, gibt es nicht. Ich verfüge weder über ein umfangreiches Barvermögen noch über Aktien oder andere nennenswerte Wertanlagen. Lediglich die Suite, die ursprünglich Adam gehört und die er mir vor seinem Tod überschrieben hat, ist mein Eigentum. Doch ich habe jahrzehntelang über eine regelmäßige Einkommensquelle verfügt, über die mit Ausnahme von Rebecca niemand etwas weiß: Ich habe das Geld anderer Leute verwaltet; genauer gesagt, das Vermögen einer einzigen Person – das Ellas!

Lediglich einen Teil der Zinsen, die ich erwirtschaftete, habe ich für meine eigenen Bedürfnisse verwandt, das Kapital als solches jedoch all die Jahre nicht angerührt – bis ich unlängst für fünfundvierzig Millionen Dollar einen wertvollen Kunstgegenstand ersteigert habe.

Erinnern Sie sich an Ella?

An meine wunderschöne, selbstbewusste, doch auch so ehrgeizige und wiederum unsichere Freundin Ella? Ich habe sie geliebt, es aber nicht gewusst.

Wie das sein kann? Nun, ich habe alles geliebt in jenen fernen Tagen in Weimar: meine Freiheit, das Leben am Bauhaus, den Unterricht, meine Mitschüler und eben

auch Ella. Alles gehörte zusammen, nichts schien ohne das andere vorstellbar – bis zu dieser einen schicksalhaften Nacht im Ilmpark; der Nacht, in der Ella und ich ein Paar wurden.
Jene Nacht veränderte alles.
Sie brachte das schmetterlingsleichte Gebilde, das sich bis dahin mein Leben nannte, ins Wanken. Urplötzlich nahm eine Wirklichkeit Gestalt an, in der ich mich in eine Frau und nicht in einen Mann verliebt, mich also jener geheimnisvollen Verfehlung schuldig gemacht hatte, von der man – wenn überhaupt – nur hinter vorgehaltener Hand sprach.
Doch bevor mir auch nur ansatzweise die Bedeutung all dessen hätte bewusst werden können, tat Ella das Unbegreifliche und beendete unsere zart knospende Liebe wieder; quasi mit sofortiger Wirkung.
Ich war jung, ich war unbedarft – was hätte ich tun sollen?
Ich gehorchte, und tatsächlich ging das Leben weiter. Nicht nur das, dank Oskar und Fräulein Grunow erschloss sich mir zu ebendiesem Zeitpunkt eine völlig neue Welt: Ich entdeckte den Tanz! Eine atemberaubende Erfahrung, die in den folgenden Jahren mein Dasein bestimmte. Später, in Türnow, waren es dann Johann und Hedi, die meine Aufmerksamkeit beanspruchten. Wenn ich ehrlich bin, erfasste ich erst viele Jahre, nachdem ich aus Weimar weggegangen war, hier in New York, das ganze Ausmaß meines Verlustes.
Doch Ella hat mir nicht nur etwas genommen. Sie schenkte mir gleichzeitig das Wertvollste, was ein Mensch einem anderen Menschen zu schenken vermag: ein Kind.

Nun ist es heraus.
Ich meine es wortwörtlich so, wie es hier steht. Ella hat mir ein Kind geschenkt – Hedi!
Sie meinen, ich rede wirr? Nein, das tue ich nicht, doch wie kann ich das Unsagbare in Worte fassen?
Ella ist nach ihrer Hochzeit mit Bartels sehr schnell schwanger geworden. Aber weder sie noch ihr aufrechter Gatte waren für ein Kind bereit. Es hätte all ihren Plänen im Wege gestanden; beide waren sie auf ihre Art Getriebene. Bartels beabsichtigte, um jeden Preis als Politiker Karriere zu machen. Erst fand er eine Heimat bei den Deutschnationalen, später schloss er sich den Nationalsozialisten an. Ella hingegen trachtete danach, eine erfolgreiche Fotografin zu werden. Ich befürchte, sie sah damals für sich eine Zukunft als zweite Leni Riefenstahl; nach einem trauten Familienglück stand jedenfalls weder ihr noch ihrem ehrenwerten Professor der Sinn. Eine Abtreibung allerdings erschien beiden zu riskant.
Derweil gingen im Bauhaus die Lichter aus. Nach dem Weggang Meister Ittens war es ohnehin nicht mehr dasselbe. Die Dinge verschoben sich zunehmend von Kunst zu Technik, und als schließlich infolge dieser Entwicklung meinem geliebten Fräulein Grunow gekündigt wurde, stand mein Entschluss fest – ich würde Weimar verlassen und zurück nach Türnow gehen. Als ich Ella davon erzählte, wurde sie zunächst ganz still. Plötzlich trat sie einen Schritt auf mich zu und nahm mich fest in die Arme. Erstmals seit vielen Monaten wieder. Dann begann sie zu sprechen.
Ein Neugeborenes, von dem am Bauhaus nie jemand erfahren würde, da ich nicht mit nach Dessau ginge. Ein

Neugeborenes, dessen Herkunft in Türnow von keinem angezweifelt würde – jedenfalls nicht, was die Person der Mutter beträfe. Und für mich die Möglichkeit dazuzugehören. Ein Dasein als ganz normale Frau mit einem Kind zu führen, so wie es alle anderen taten …
Nun, Letzteres muss ich relativieren. Wenn Johann sich in seiner unendlichen Großzügigkeit nicht Hedis und meiner angenommen hätte, wäre das Leben in Türnow als ledige Mutter ein fortwährender Spießrutenlauf gewesen. Aber so?
Weshalb stimmte ich diesem ungeheuerlichen Vorschlag zu?
Ich bin mir bis heute nicht sicher. Viele Gründe spielten eine Rolle. Der wichtigste war vielleicht die verlockende Vorstellung einer verloren geglaubten Liebe, die eine zweite Chance erhielt. Und nicht nur das – Ellas Vorschlag versprach, aus einem bestimmten Blickwinkel betrachtet, ein Stück Normalität. Sie schenkte mir ein Kind, so wie mir ein Mann ein Kind geschenkt hätte. Gleichzeitig stand ihr Plan jedoch auch für das endgültige, unwiderrufliche Ende unserer gemeinsamen Geschichte. Sie versicherte mir hoch und heilig, unter gar keinen Umständen jemals zu mir oder dem Kind Kontakt aufzunehmen. Es würde fern von ihr und Bartels wie mein eigenes aufwachsen.
Ich willigte ein.
Den Rest der Geschichte kennen Sie, Thomas, Sie haben ihn in meinen Aufzeichnungen gelesen. Die Jahre in Türnow mit Hedi und Johann, die Tanzschule, die schleichende Machtübernahme der braunen Brut und schließlich Hedis und meine Flucht nach Gotenhafen bis auf die unselige Wilhelm Gustloff.

Doch lassen Sie mich Ihnen weiter von Ella erzählen. 1945 starb Adolf Bartels, und Ella wanderte im Gefolge einiger Nazigrößen nach Argentinien aus. Dort heiratete sie erneut; einen Stahlbaron, den sie ebenfalls überlebte und der ihr ein beträchtliches Vermögen hinterließ. 1960, kurz vor ihrem Ableben, überführte Ella ihr Erbe in eine Stiftung und nahm mit Hilfe eines Detektivs – gegen unsere ausdrückliche Absprache – zu mir Kontakt auf. Ich sollte zukünftig das Stiftungsvermögen verwalten. Als Stiftungszweck hatte sie die Versorgung Hedis und deren Nachkommen festgesetzt.
Entsetzt lehnte ich dieses Ansinnen ab. Hedi war seit anderthalb Jahrzehnten tot, durch meine Schuld – zumindest glaubte ich das zu jenem Zeitpunkt. Doch es war zu spät, Ella war inzwischen verstorben. Neben einer Abschrift ihres Letzten Willens überreichte mir der Detektiv eine Geburtsurkunde. Mit Tränen in den Augen studierte ich das Dokument, das auf den Namen Lydia Bartels ausgestellt war: Lydia, die dank Ottos Vergesslichkeit zunächst zu Hedwig und dann für alle Zeiten zu Hedi geworden war.
Ist Ihnen die Bedeutung all dessen, was ich Ihnen schreibe, bewusst, Thomas?
Deswegen habe ich mich gestern Abend vor allem für Hedi und deren Geschichte und nicht so sehr für Sie als vermeintlichen Urenkel interessiert – Sie sind es nie gewesen. Es tut mir leid …

Marthas Brief fällt mir aus der Hand. Wie ein Schwarm flügellahmer Vögel flattern die Seiten zu Boden. Zu behaupten, ich fühlte mich hintergangen, käme einer maßlosen Untertreibung gleich.

Was haben Ella und Martha getan? Zu welch wahnwitziger Handlung haben sie sich hinreißen lassen?

Ich versuche mir ihre Beweggründe vorzustellen, damals in Weimar, 1924. Sind sie Komplizinnen oder Täter und Opfer gewesen? Hat Ella Marthas Liebe und Loyalität missbraucht, um sich nicht um ihr Kind kümmern zu müssen – ihr eigenes Kind, meine Großmutter? Oder hat vielmehr Martha die Gelegenheit ergriffen, sich ein immerwährendes Faustpfand für ihre unerfüllte Liebe zu Ella zu verschaffen?

Mir kommt das schlechte Gewissen in den Sinn, das ich im September in New York, in meinem Hotelzimmer verspürte, bei dem Gedanken, Martha, Hedi, Otto und all die anderen verkauft zu haben. Doch dabei war es um etwas Abstraktes, um Zeichnungen und Tagebucheinträge, gegangen. Ella hingegen hat ihr eigen Fleisch und Blut weggegeben. Eine Welle der Empörung überflutet mich – stellvertretend für Hedi, die nie die Möglichkeit gehabt hat, ihre leiblichen Eltern kennenzulernen.

Steif vor Anspannung klettere ich von der Fensterbank in meinem Zimmer und hole die zusammengehefteten Seiten hervor, die ich in der Zeit vor meiner New-York-Reise erstellt habe, um Marthas Tagebuch in eine literarische Form zu bringen. Ich schlage das schmale Bündel auf und unterziehe seinen Inhalt einer kritischen Lektüre. Einer außerordentlich kritischen Lektüre.

Es ist unvollständig.

Es ist entschieden und absolut unvollständig. Es ist nicht einmal annähernd genug, um das komplexe Beziehungsgefüge zu verstehen, das Ella und Martha verbunden hat. Ich bin auf ganzer Linie gescheitert.

Im selben Moment explodiert die erste Rakete am

Himmel. Zahllose weitere folgen. Ich beobachte durchs Fenster, wie sich die Nacht in ein Meer aus Licht und Farben verwandelt. Mit einem Mal erwächst aus meinem Selbstmitleid ein anderes Gefühl. Ein Gefühl der Euphorie. Des grenzenlosen Glücks.

Ich lebe.

Ich lebe, weil Martha es so gewollt hat (jeden Gedanken an Heinzchen verbiete ich mir rigoros). Ich lebe und werde ihre Geschichte aufschreiben. Vollständig. Mit allem, was dazugehört. Ich werde jede Zurückhaltung über Bord werfen und die Dinge so lange zurechtrücken, bis sie einen Sinn ergeben. Einen Sinn für Hedi und mich. Ich werde im Dienst der Wahrheit lügen. Das bin ich uns schuldig.

Draußen steuert das Feuerwerk seinem Höhepunkt entgegen. Seinem glitzernden, funkelnden, strahlenden Finale. Raketen explodieren krachend, Böllerschläge lassen die Scheibe erzittern. Plötzlich erklingt in meinem Inneren eine Stimme. Erst ganz leise und unverständlich, dann jedoch immer lauter. Omas Stimme. Ein amüsierter Ton schwingt mit, als sie sagt: *Red nicht so viel, sonst wird dir das Hemd zu kurz!*

Anmerkungen des Autors

Auch wenn ich viele Sachverhalte sorgfältig recherchiert habe, bleibt *Wenn Martha tanzt* ein Roman und erhebt keinerlei Anspruch auf historische Genauigkeit. Zuweilen habe ich Menschen, Situationen und Abläufe ihrer Zusammenhänge beraubt und neu in Beziehung gesetzt.

Dementsprechend teilt das *Bauhaus*, wie es hier beschrieben wird, vor allem seinen Namen mit der Wirklichkeit.

Am radikalsten habe ich die Figur der Ella Held meinen Vorstellungen angepasst. Bitte verzeihen Sie, Ella! Sie sind mitnichten mit Professor Adolf Bartels verheiratet gewesen. Genauso wenig haben Sie in der beschriebenen Form mit dem Nationalsozialismus sympathisiert. Ich habe Sie, Ihren Vater Louis und Teile Ihrer Biographie als geschichtlichen Hintergrund verwendet. Alles, was darüber hinausgeht, entspringt ausschließlich meiner Phantasie.

Die Figur der Martha hingegen ist eine Traumvorstellung. Sie ist gleichzeitig meine Urgroßmutter und die Frau, die sie nie gewesen ist. Verwirrend, aber wahr.

Den beschriebenen Ereignissen liegt der Inhalt zahlloser Bücher, Aufsätze und Internetartikel zugrunde. Unverzichtbar waren, weil sie *das Menschliche* am Bauhaus beschreiben, die folgenden Werke:

Eckhard Neumann (Hrsg.), *Bauhaus und Bauhäusler. Erinnerungen und Bekenntnisse*, erweiterte Neuausgabe, Köln, DuMont Literatur und Kunst Verlag 1985.

Ré Soupault, *Bauhaus – Die heroischen Jahre von Weimar*, Heidelberg, Das Wunderhorn 2009.

Oskar Schlemmer, *Briefe – Texte – Schriften aus der Zeit am Bauhaus* (hrsg. von Elke Beilfuß), Weimar, Weimarer Verlagsgesellschaft 2014.

Boris Friedewald, *Bauhaus*, München – London – New York, Prestel Verlag 2016.

Des Weiteren als hilfreich erwiesen sich:

Hans M. Wingler, *Das Bauhaus. Weimar, Dessau, Berlin 1919-1933*, 4. Auflage, Köln, DuMont Literatur und Kunst Verlag 2002.

Thomas Föhl, Michael Siebenbrodt und andere, *Bauhaus-Museum Weimar*, 5., überarbeitete Auflage, Berlin – München, Klassik Stiftung Weimar und Deutscher Kunstverlag GmbH 2014.

Norbert Schwuchow, *Pommersche Erinnerungen 1935 bis 1947*, 2. Auflage, Berlin, Zeitgut Verlag GmbH 2011.

Dirk Schleinert/Heiko Wartenberg, *Das alte Pommern – Leben und Arbeiten auf dem platten Land*, Rostock, Hinstorff Verlag GmbH 2010.

Louis Held, *Alltag im alten Weimar*. Fotografien 1882 bis 1919, Leipzig, Lehmstedt Verlag 2015.

Louis Held, *Das geistige Weimar um 1900*. Fotografien 1882-1919, Leipzig, Lehmstedt Verlag 2015.

Dank

Ich danke meiner Frau, die gewiss nicht nur erste und beste Leserin ist.

Meinem Freund Christian Schnalke, ohne dessen Ermutigung, Humor und unverwüstlichen Optimismus *Wenn Martha tanzt* die ersten drei Seiten nicht überstanden hätte – von wegen Jahrhundertroman.

Meinem Freund Volker Kutscher, der mich mit sicherem Instinkt gefühlte fünfundsiebzigmal gezwungen hat, die Rahmenhandlung zu überarbeiten, bis sie schließlich vor seinen Augen Bestand hatte (oder auch nicht).

Frau Anna Hoffmann, ehemals *Landwehr & Cie.*, der ich zu meinem Bedauern nie persönlich begegnet bin. Sie fischte mich aus dem großen Teich schreibender Dilettanten und machte somit alles erst möglich. Ein Hoch auf *Sam Sawyer*!

Meinem Agenten Marko Jacob von *Landwehr & Cie.*, der die außerordentliche Freundlichkeit besaß, mein Manuskript auf seine Frühjahrsliste zu setzen.

Meiner Lektorin Katrin Fieber, die schnell und sicher zuschlug. Ihre ebenso unaufgeregte Art wie ihr souveräner und respektvoller Umgang mit dem Text haben entschieden dazu beigetragen, Ungereimtheiten im Manuskript zu beseitigen und insbesondere der Stimme des Ich-Erzählers neuen Glanz zu verleihen.

Nicht zuletzt danke ich meinen Söhnen Sebastian und Fabian, dass es sie gibt. Ohne sie wäre Martha ein anderes Kind.

Quellen

Das William-Faulkner-Zitat zu Beginn des Romans stammt aus dem Drama *Requiem für eine Nonne*, 1. Akt, 3. Szene, zu finden in: William Faulkner, *Requiem für eine Nonne. Roman in Szenen,* Zürich, Diogenes 1982, S. 106.

Der Anfang des Kinderliedes auf S. 48 findet sich im Internet unter folgendem Link: https://www.volkslieder-archiv.de/s-faengt-an-zu-troepfeln/.

Die Auszüge aus den Briefen Oskar Schlemmers an Otto Meyer-Amden auf S. 89 und 150 sowie das Zitat auf S. 147 f. sind folgendem Werk entnommen: *Oskar Schlemmer, Briefe – Texte – Schriften aus der Zeit am Bauhaus,* hrsg. von Elke Beilfuß. © Weimarer Verlagsgesellschaft in der Verlagshaus Römerweg GmbH, Wiesbaden 2014.

Der vordere Teil des Zitates von Johannes Itten auf S. 100 stammt aus Johannes Itten, »Fragmentarisches« in: Adolf Hölzel, Johannes Itten und Josef Eberz, *Hölzel und sein Kreis,* Stuttgart 1916, zitiert nach: *Johannes Itten. Werke und Schriften,* hrsg. von Willy Rotzler, Zürich, Orell Füssili 1978, S. 217.

Der Brief von Walter Gropius auf S. 104 wird nach einem Faksimile zitiert: © Thüringisches Hauptstaatsarchiv Weimar, Staatliches Bauhaus Weimar 131, Bl. 75, zu finden in: *Das Bauhaus kommt aus Weimar, Katalog zur Ausstellung in Weimar vom 1. April bis 5. Juli 2009 an den Standorten: Bauhaus-Museum, Goethe-Nationalmuseum, Neues Museum, Schiller Museum, Oberlichtsaal im Hauptgebäude der Bauhaus-Universität und Haus am Horn*, hrsg. für die Klassik-Stiftung Weimar von Ute Ackermann und Ulrike Bestgen, Berlin – München, Deutscher Kunstverlag 2009, S. 37

Das Zitat von Adolf Bartels auf S. 106 ist seinem Wikipedia-Eintrag entnommen: https://de.wikipedia.org/wiki/Adolf_Bartels.

Bruchstücke der Rede von Hans Groß auf S. 116 werden zitiert nach »Ergebnisse der das Staatliche Bauhaus in Weimar betreffenden Untersuchung«, Beilage zu »Der Streit um das Staatliche Bauhaus«, hektographiert, Weimar 1920, zu finden in: Hans M. Wingler, *Das Bauhaus*, Köln, DuMont Literatur und Kunst Verlag 2002, S. 50.

Die (stark gekürzte) Stellungnahme von Adolf Bartels auf S. 119/120 stammt aus: Volker Wahl, *Das Staatliche Bauhaus in Weimar: Dokumente zur Geschichte des Instituts (1919–1926)*, Wien – Köln – Weimar, Böhlau Verlag 2009, S. 591-592.

Wassily Kandinskys Essay »Zu den Tänzen der Palucca«, in Teilen auf S. 154 zitiert, stammt aus: Wassily

Kardinsky, »Tanzkurven. Zu den Tänzen der Palucca.« *Das Kunstblatt*, Band 10, Heft 3, 1926, S. 117-121.

Teile des Berichts über die Bauhaus-Ausstellung auf S. 155 stammen aus: Boris Friedewald, *Bauhaus*, München – London – New York, Prestel Verlag 2016, S. 44-45.

Die Kriegserklärung Hitlers an Polen auf S. 215 wird nach folgender Webseite zitiert: http://www.georg-elser-arbeitskreis.de/texts/hitler-1939-09-01.htm.

Teile des Berichtes von Martha auf S. 244 sowie Teile des Berichtes von Hedi auf den S. 259/260 sind einem Originalschreiben meiner Großmutter Hedwig Saller entnommen, das sie 1965 für die *Forschungsstelle Ost* der Ostakademie in Lüneburg verfasst hat.

Tom Saller

Ein neues Blau

Roman

978-3-471-36004-0

Eine ungewöhnliche Kindheit und Jugend in Berlin, ein Zwischenspiel in den USA, und eine Rückkehr in die alte Heimat

Berlin, Dreißigerjahre: Als Lili durch Zufall Alice und Günther von Pechmann kennenlernt, den Direktor der Königlichen Porzellan-Manufaktur, findet sie ihre Bestimmung: die Welt des Porzellans. Doch die Nationalsozialisten kommen an die Macht, und Lili muss aus Berlin fliehen.

Fünfzig Jahre später lebt Lili wieder in Charlottenburg, zurückgezogen in ihrem Haus mit dem japanischen Garten. Sie spricht nicht viel über sich und ihr bewegtes Leben. Erst die 18-jährige Anja, widerspenstig und quer, kann Lili dazu bewegen, sich ihr zu öffnen. Stück für Stück enthüllt sich Lilis Geschichte, doch auch Anja hat ein Geheimnis. Welche Rolle spielt dabei die schlichte Porzellanschale, die die alte Frau wie einen Schatz hütet?

Lesen Sie, wie der Roman beginnt.

PROLOG

Es ist eine jener Nächte, in denen Wundersames geschieht, ohne dass die Menschheit etwas davon ahnt – oder nur ein sehr kleiner Teil der Menschheit.

Wie ein schwarzsamtenes Tuch mit unzähligen winzigen funkelnden Löchern liegt der Himmel über der preußischen Hauptstadt, die dank ihres hellsten Sternes, des geliebten Königs, inzwischen zur europäischen Großstadt gereift, aber dennoch bar jeder Vorstellung ihrer zukünftigen Rolle in der Geschichte ist – in jeder Geschichte.

Vier Jahre lang haben die Porzellanmaler der *Königlichen Porzellan-Manufaktur* in Berlin unter der Leitung des genialen Chemikers Franz Carl Achard experimentiert. Unermüdlich haben sie gemischt, gebrannt, gemalt und wieder verworfen. Haben versucht, dem ausdrücklichen Wunsch Seiner Allererlauchtesten Majestät nach dessen Lieblingsfarbe Genüge zu tun. Ein ins Lila gehendes ersterbendes Blau hat er sich gewünscht, ihr Monarch, gleich dem zarten Farbton, der bereits die Wände seiner Privaträume in Sanssouci schmückt. Ebenjenen will er jetzt auch auf seinem Lieblingsservice, dem *Neuzierat*, sehen; schließlich ist der Herrscher über alle Preußen bekannt für seinen feinen Sinn in Sachen Kunst und Schönheit. Und nun – endlich! –, in dieser Nacht, ist es so weit: Ein neues Blau erblickt das Licht der Welt.

Mit bebenden Fingern hält der Vorsteher der Porzellanmalerei Friedrich dem II. am nächsten Morgen eine schlichte weiße Schale hin, auf die eine ebenso schlichte blaue Blüte gemalt ist.

»Er hat es also geschafft«, sagt der große Friedrich und nickt anerkennend, »eine Leistung von allerhöchstem Wert. Er sei gewahr: Auch wir selber wollen nicht von der Zusammensetzung des *bleu mourant* kennen. Er möge schwören, an niemanden, er sei, wer er wolle, und unter keinem Vorwand die Rezeptur zu offenbaren. Er möge sie verschwiegen halten, bis er in die Grube geht!«

Für einen Moment hält der kluge König inne. Dann beugt er sich mit knisterndem Seidenjabot vor und ergänzt: »Einzig der Modellmeister seinerseits darf wissen um die Verbindung des weißen Goldes mit dem sterbenden Blau. Das sei für alle Zeit!«

So spricht der Herrscher, und so geschieht es. Immer nur zwei Männer gleichzeitig hüten das Arkanum, das Geheimnis des wertvollsten Gutes der *Königlichen Porzellan-Manufaktur* – die genaue Formel von Material, Farbe und Brand.

Das *Neuzierat* mit dem *bleu mourant* wird zum Vermächtnis des »ersten Dieners des Staates«, sprich, zum letzten der insgesamt einundzwanzig Service, die dieser in seiner eigenen Manufaktur bestellt und bezahlt – danach stirbt er.

Doch was geschieht mit dem Anfang, dem Urstück, der schlichten weißen Schale, die sich als erste Trägerin des sterbenden Blau auf so unnachahmliche Weise in die Geschichte der Porzellanherstellung eingebrannt hat?

Sie gerät in Vergessenheit, die Schale, weil sie dem Blick des frühen Betrachters nicht wertvoll erscheint. Zu sparsam sind die Meister der *Königlichen Porzellan-Manufaktur* gewesen, um bei ihren Experimenten um ein neues Blau immer wieder wertvolles Material zu verschwenden. Stattdessen haben sie sich aus dem Lagerbestand bedient und die Reste verwendet, die von den Vorbesitzern der Manufaktur, den Herren Wegely und Gotzkowsky, übrig geblieben sind. Sie tragen noch das Signet W oder G und nicht das königliche Zepter aus dem kurfürstlich-brandenburgischen Wappen, das die Erzeugnisse der *Königlichen Porzellan-Manufaktur* inzwischen so unverwechselbar macht.

Und so wird die Schale zunächst ins Regal geräumt, später in eine mit Stroh gepolsterte Kiste gepackt, um noch später in einem Schuppen in einer Ecke des Werksgeländes, zusammen mit zahllosen anderen Kisten, eingelagert zu werden. Unbemerkt macht sie den Umzug an den neuen Standort am Tiergarten mit, nachdem das Gebäude in der Leipziger Straße dem Bau des Preußischen Landtages weichen musste. Jahr für Jahr liegt sie in ihrem dunklen Versteck und harrt der Dinge, die da kommen.

BERLIN

1985

LESEPROBE

Das Haus, an dessen Tür ich klingele, liegt nicht weit von unserem entfernt, mitten in Charlottenburg. Es sieht genauso aus wie seine Kollegen rechts und links und stammt wie diese aus einer anderen Zeit – nicht anders als die Frau, die mir jetzt die Tür öffnet. Sie ist ziemlich dünn und hat schlohweiße Haare, was einen merkwürdigen Kontrast zu ihrem Gesicht bildet, denn da sind kaum Falten. Alles, was älter ist als vierzig, kann ich sowieso nicht schätzen, aber bei ihr stehe ich völlig auf dem Schlauch. Sechzig, achtzig, hundert? Sie mustert mich misstrauisch, was an dem Tracey-Thorn-Schnitt liegen könnte, den ich mir vor ein paar Tagen selbst verpasst habe. *Eden* ist eins meiner absoluten Lieblingsalben. Ich hole tief Luft.

»Ich heiße Anja Hermann. Mein Vertrauenslehrer schickt mich. Ich wollte mich um den Job als Ihre … Ihre Gesellschafterin bewerben.«

Verwirrt blickt sie mich an. »Welcher Vertrauenslehrer und was für ein … Job?«

Oh Mist, bei meinem Glück bin ich natürlich auf so eine halbverkalkte Alte gestoßen. »Na ja, Herr Franke vom Sophie-Charlotte-Gymnasium in der Sybelstraße. Der Direktor hat ihn angesprochen und gemeint, ein Freund von ihm suche jemanden für seine Mutter. Man solle sich direkt bei Ihnen melden, wenn man Interesse an einem Nebenjob hat, für ein paar Nachmittage die Woche.«

Sie presst die Lippen zusammen. »Er hat seine Drohung also wahr gemacht.«

»Wer?«, stottere ich.

Sie fasst mich genauer ins Auge und dann offensichtlich einen Entschluss. »Kommen Sie erst einmal herein. Wir brauchen die Angelegenheit nicht an der Haustür zu besprechen.«

Sie dreht sich um und tritt in den Flur. Ich folge ihr und schließe die Tür hinter mir. Die Frau ist vollkommen schwarz gekleidet. Schwarzes Kleid, schwarze Strümpfe, schwarze Schuhe. Wirkt irgendwie ein bisschen gruselig. Schade, wär echt doof, wenn sie eine Schwarze Witwe ist, also so eine Art Serienkillerin, und mich abmurkst. Gut, dass Franke weiß, wo ich bin. Ich hab ihm gesagt, dass ich heute hier vorbeimarschiere. Mutter und Vater habe ich erst mal außen vor gelassen: Sie nerven zu sehr.

Eigentlich ist der Fummel der alten Dame gar nicht so verkehrt. Ein bisschen altmodisch und super schlicht geschnitten. Steht ihr ziemlich gut. Von Mutter weiß ich, je simpler so was aussieht, umso teurer ist es. Wahrscheinlich hat sie richtig Kohle. Ich meine, wer sonst sucht sich schon eine »Gesellschafterin«?

Der Raum, den wir betreten, ist irre hell und ziemlich geil, weil quasi nichts drinsteht. Fast wie im Museum. Die Fenster gehen auf einen megagepflegten Garten raus. Da könnte Vater sich ruhig mal ein Beispiel dran nehmen. Er hasst Gartenarbeit, und wenn er zweimal im Jahr mit dem Mäher ums Haus pflügt, hat man den Eindruck, er spielt Vietnam. Aber ich schätze, er engagiert absichtlich keinen Gärtner, nur um Mutter zu ärgern. Die schämt sich nämlich volle Kanne, wenn ihre feinen Freundinnen zu Besuch kommen und auf der Terrasse sitzen und Kaffee trinken und auf unseren Dschungel glotzen. Dann hilft nur Sekt.

»Bring uns doch mal ein, zwei Piccolöchen, Anja.« Klar doch, hoch die Tassen!

»Bitte, nehmen Sie Platz«, fordert die alte Dame mich auf und deutet auf den Tisch mit den Stühlen in der Mitte des Raums. Das ist es auch schon, also ich meine das komplette Mobiliar. »Mögen Sie eine Tasse Tee?«

Ich nicke. Der Dritte-Welt-Laden bei uns um die Ecke betreibt eine Teestube. Da treffen wir uns ein paarmal die Woche, trinken Vanille-Tee und stinken uns die Klamotten voll – nicht umsonst heißen Räucherstäbchen Räucherstäbchen. Wenn ich nach Hause komme, rieche ich, als hätte ich den ganzen Nachmittag gekifft, was definitiv nicht der Fall ist. Meist zieht Mutter dann demonstrativ ihre Schnupper-Show ab und mustert mich vorwurfsvoll. Ich spare mir eine Antwort und schaue nur vielsagend ins Wohnzimmer, wo ihre Riesenschale mit dem Duftpotpourri steht, das jeden Monat ausgewechselt wird. Schwer zu sagen, was schlimmer mieft: ich oder der Mist, der zu ihrem *Schöner-wohnen-Style* gehört.

Die alte Frau kehrt mit einem Tablett in der Hand zurück, das sie vor mir auf dem Tisch abstellt. Schlichte Tonschalen, in die sie ein grünliches Pulver füllt. Sie gießt es mit heißem Wasser auf. Zu meiner Überraschung greift sie nach so einer Art Rasierpinsel mit hölzernen Borsten und fängt wie wild an, in den Schälchen rumzurühren. Ein exotisches Aroma liegt in der Luft.

»Haben Sie schon einmal *Matcha*, grünen Tee, getrunken?«, fragt sie.

»Nein«, sage ich.

»Sie müssen entschuldigen, dass ich ihn so formlos serviere, aber alles andere wäre unter den gegebenen Umständen sicher unangemessen.«

Ich habe keine Ahnung, wovon sie spricht, aber was soll's – man kann auch alt und bescheuert sein. Sie reicht mir die Schale, in der sich ein schaumig geschlagenes Gebräu befindet. Vorsichtig nehme ich einen Schluck und verziehe das Gesicht. Zum ersten Mal tritt der Hauch eines Lächelns auf ihre Züge. »Es braucht Zeit, bis man sich an den Geschmack des Neuen gewöhnt«, sagt sie.

***

So unauffällig wie möglich lasse ich den Blick durch den Raum wandern. Wie gesagt, das Zimmer ist fast leer. Allerdings sind da ein paar Skulpturen oder so auf kleinen, scheinbar extra dafür an der Wand angebrachten Regalbrettern. Sie sind weiß, und ich schätze, was ich da sehe, ist Kunst. Aber eigentlich sind's auch ganz normale Sachen: Tassen, Schalen, Vasen – nur irgendwie anders. Sie sind verformt, verzerrt, vergrößert oder verkleinert. Außerdem ist immer nur ein Teil lackiert oder wie man das nennt; der andere sieht roh und unbehandelt aus. Ziemlich schräg, finde ich.

»Ihr Vertrauenslehrer hat Sie also im Auftrag Ihres Direktors angesprochen?«

»Ja und der ihn im Auftrag eines Freundes. Herr Franke hat mir einen Zettel in die Hand gedrückt. Da standen Ihr Name und Ihre Adresse drauf. Keine Telefonnummer. Deswegen bin ich einfach vorbeigekommen.«

Sie nimmt einen Schluck von ihrem Tee. »Ich habe kein Telefon. Und das Haus verlasse ich nur ausgesprochen selten. Deswegen ist die Wahrscheinlichkeit, mich anzutreffen, ziemlich hoch. Das weiß er.«

»Wer?«

»Mein Sohn. Er ist der Freund, der mit dem Direktor gesprochen hat. Allerdings ohne meine Zustimmung.«

»Warum sollte er gegen Ihren Willen jemanden suchen, der Ihnen Gesellschaft leistet?«

Sie zuckt mit den Schultern. »Er macht sich Sorgen um seine alte Mutter.«

»Ähem … und wieso?«

»Dass ich vereinsamen oder sonst wie Schaden nehmen könnte nach dem … nach dem Tod meines langjährigen Begleiters.«

Stimmt, da war doch was. Ich mustere ihr Kleid, die dünnen Beine in der schwarzen Strumpfhose. »Sind Sie lange zusammen gewesen?«

Für einen Moment werden ihre Züge weicher. »Sehr lange, beinah ein Leben lang. Aber nicht so, wie Sie es vermuten. Er hat sich seit meiner Kindheit um mich gekümmert, ist wie ein zweiter Vater für mich gewesen. Doch ich mag Sie nicht mit den alten Geschichten langweilen.« Sie strafft ihre schlanke Gestalt, was sie immer noch nicht zu einem Sitzriesen macht; ich bin locker einen Kopf größer als sie. »Mein Sohn hat mich vor die Wahl gestellt – entweder ich finde selbst jemanden, der mich ab und zu besucht, oder er kümmert sich darum. Er will keinesfalls, dass ich den ganzen Tag allein bin.« Sie verzieht die Mundwinkel. »Ich habe versucht, auf Zeit zu spielen, und gesagt, ich würde es mir überlegen. Aber offenbar habe ich ihn unterschätzt, und nun hat er die Initiative ergriffen. Sind Sie eigentlich die Einzige, der Ihr Vertrauenslehrer diesen … diesen Job angeboten hat, oder muss ich befürchten, dass hier bald Heerscharen von Schülern einfallen?«

»Eher nicht. Ich glaube, er hat nur mich gefragt.«

»Warum ausgerechnet Sie?«

***

Franke ist einer der wenigen Lehrer, die einem nicht sofort auf den Sack gehen. Er sieht gut genug aus, dass die Hälfte aller Oberstufenmädchen in ihn verknallt ist, andererseits ist er locker genug, dass die Jungens mit ihm Witze machen und Basketball spielen. Gleichzeitig hält er Abstand, was ich okay finde. Er macht einem klar, ich bin der Lehrer und ihr seid die Schüler, und das ist halt so; eine Art natürliche Ordnung der Dinge. Er spricht mit uns wie zu normalen Menschen: schleimt sich weder ein, noch tut er irgendwie von oben herab. Vielleicht gibt's deshalb in seinem Unterricht keine Disziplinprobleme. Außerdem erzählt er fast nichts von sich. Da sind wir uns ziemlich ähnlich. Eigentlich bin ich wirklich nicht so eine Superlabertasche, aber …

Ich heiße Anja. Ein ätzender Name, ich weiß. Auch hierfür sind meine Eltern verantwortlich. Ein Anagramm übrigens: Anja. Ich hab's ausprobiert. Man kann *Na ja* daraus machen. Ich nehme an, so sehen mich die meisten. *Anja. Na ja.* Ein Name wie ein Achselzucken.

Damit bin ich nicht allein; auch ein paar andere Mädchen aus der Stufe hat es hart getroffen. Drei Sandras, zwei Sabines und vier Claudias. Scheiße! Kein Anagramm.

Bei den Jungens ist es nicht besser, nur gleichmäßiger verteilt. Je dreimal Thomas, Stefan, Michael und Frank. Einen hat es hammermäßig erwischt. Ralf. Richtig, und dann noch rote Haare!

Im Unterschied zu anderen vermittelt Franke den Eindruck, keine Mission in sich zu verspüren – von wegen ich verstehe euch, bin ja auch mal Schüler gewesen und ach so jung geblieben. Das Einzige, was er rausgelassen hat, ist, dass er seine Lieblingsfächer studiert hat: Deutsch und Geschichte. Als studentische Hilfskraft, meinte er, habe er dann festgestellt, mit was für Strebern er es an der Uni zu tun haben würde, wenn er eine wissenschaftliche Karriere anpeilte, und deswegen auf Lehramt umgesattelt. Guter Plan, denn mit Ausnahme von Dörthe Mosebach und Stefan Schneke gibt's bei uns keine Streber – und die beiden interessieren sowieso keinen.

Als Franke sich zur Wahl zum Vertrauenslehrer aufstellen ließ, haben wir mit großer Mehrheit für ihn gestimmt. Er ist nur selten in dem Minibüro anzutreffen, das ihm der Schulleiter zur Verfügung gestellt hat. Stattdessen marschiert er in den Pausen oder nach Schulschluss immer noch ein bisschen durch die Gegend – leider.

Darum ist ihm auch Oskar sofort aufgefallen, als er unten auf dem Parkplatz auf mich gewartet hat, um mich abzuholen. Irgendwas schien Franke an Oskar nicht gefallen zu haben, denn er ist auf uns zugekommen.

»Alles klar?«, hat er mich gefragt.

»Logo«, habe ich geantwortet, weil – da war ja noch alles klar. Aber Franke hat nicht lockergelassen, was eigentlich nicht seine Art ist.

»Willst du uns nicht bekannt machen?«, schlug er vor und hielt Oskar die Hand hin. Ich bin vor Scham fast im Boden versunken.

»Das ist Oskar. Er ist mein Freund«, murmelte ich. Oskar schüttelte Franke ziemlich widerwillig die Pfote. Und dann hat Franke tatsächlich gesagt:

»Anja ist meine Schülerin. Seien Sie nett zu ihr. Ich bin es auch. In diesem Sinne, einen schönen Nachmittag.«

Das ist ganz klar kein Witz gewesen, auch wenn es vielleicht so klingen sollte. Kaum war Franke weg, ist Oskar über mich hergefallen: Was ich Franke über ihn erzählt habe?

Was hätte ich Franke zu dem Zeitpunkt schon groß erzählen sollen? »Nichts«, habe ich geantwortet.

Das Ganze ist jetzt ein paar Monate her. Aber vor vier Wochen hat Franke mich nach der Doppelstunde Geschi beiseitegenommen.

»Ich seh dich gar nicht mehr mit deinem Freund, mit diesem Oskar. Stattdessen stehst du allein in der Raucherecke herum und bläst Trübsal. Ich habe gehört, da gab es einen Vorfall, auf irgendeiner Fete. Ist alles in Ordnung mit dir?«

Erst war ich wie vor den Kopf geschlagen. Woher wusste er davon? Dann überlegte ich für ein paar Sekunden, ihm alles zu sagen. Doch ich bin einfach nicht der Typ für so eine Wir-haben-uns-alle-lieb-Nummer. Also hab ich geantwortet:

»Bestens, ich kann gar nicht so viel essen, wie ich kotzen muss.« Nicht umsonst nehmen wir seit ein paar Monaten den Nationalsozialismus durch. Da bleibt was hängen.

»Verstehe«, meinte er und ließ mich in Ruhe.

Doch dann ist er vorgestern noch mal angekommen. »Hey«, sagte er, »der Direktor hat mich was gefragt. Er ist von einem Freund angesprochen worden, der jemanden für seine Mutter sucht. Unlängst sei ein sehr guter Bekannter von ihr gestorben, wohl ihre wichtigste Bezugsperson. Dieser Freund macht sich nun Sorgen, dass die alte Dame vereinsamen könnte. Da ist er auf den Gedanken gekommen, eine Schülerin unserer Schule, am besten aus der Oberstufe, die sich ein paar Mark dazuverdienen will, könnte behilflich sein, dem vorzubeugen. Der Direktor meint, sein Freund stelle sich vor, dass dieser Jemand seiner Mutter an ein, zwei Nachmittagen die Woche Gesellschaft leistet, sie gewissermaßen ein wenig bespaßt. Hast du Lust darauf?«

***

Die alte Dame wiederholt ihre Frage. »Warum ausgerechnet Sie?«

Ich schlage die Augen nieder. »Weiß nicht. Vielleicht dachte er, es täte mir ganz gut, mal was anderes zu sehen.« *Yes*, Diplomatentochter Anja Hermann! Das war jetzt die höfliche Umschreibung dafür, dass es mir eigentlich scheiße geht. Aber da kann die alte Dame nichts für.

Sie mustert mich prüfend.

»Der Schuss ist sowieso nach hinten losgegangen«, sage ich, »Sie suchen ja niemanden.« Ich stehe auf. »Darum gehe ich besser wieder. Was sollen Sie mit jemandem, auf den Sie eh keinen Bock haben?«

»Keinen Bock?«

Mit einem Mal wird mir bewusst, wie krank das Ganze eigentlich ist. Eine alte Frau, im einen Moment recht klar, im nächsten ziemlich verstrahlt, die ganz sicher nicht meine Sprache spricht. Und mit der ich einzig und allein aufgrund eines Missverständnisses zusammenhocke. Eines Missverständnisses in Person eines manipulativen Sohnes.

»›Kein Bock‹ heißt auf etwas überhaupt keine Lust haben.«

Für einen Moment scheint sie in sich reinzuhorchen. »Wo gehen Sie zur Schule, sagten Sie noch gleich?«

»Auf das Sophie-Charlotte-Gymnasium, in der Sybelstraße, nicht weit von hier. Wieso?«

»Ich bin ebenfalls in der Sybelstraße zur Schule gegangen. Allerdings auf das *Fürstin Bismarck Lyzeum.*«

»So hieß die Schule früher. Vor drei Jahren hatten wir 125-Jähriges. Ich musste ein Referat halten. Deshalb weiß ich das.«

»Sie meinen, Sie gehen auf dieselbe Schule wie ich damals?«, fragt sie interessiert.

»Sieht so aus.«

»Gibt es dort immer noch jüdische Schülerinnen?«

»Keine Ahnung. Religion ist nicht so mein Spezialgebiet. Aber wenn Sie es unbedingt wissen wollen – irgendwie bin ich auch einen Tacken jüdisch.«

»Einen Tacken?«

Langsam habe ich das Gefühl, mit einem Papagei zu sprechen. »Ja, mein Vater ist evangelisch, und meine Mutter hat gerade ihre religiösen Wurzeln wiederentdeckt – also ihre jüdischen. Fragen Sie mich jetzt nicht, was das bedeuten soll.«

Jan. 2021